Vocabulaire du commentaire de texte

Evelyne AMON
Yves BOMATI

LAROUSSE

17 RUE DU MONTPARNASSE 75298 PARIS CEDEX 06

Avant-propos

Qu'est-ce que le «style»? Une manière d'écrire, une certaine façon d'exploiter les ressources de la langue pour donner de la personnalité à un texte. Mais qu'est-ce que la «langue»? La langue est à l'écrivain ce que la peinture est au peintre: une matière première. Composée de sons, de mots, de formes et de constructions, elle offre une source inépuisable de moyens d'expression. Comme le peintre, l'écrivain choisit et dose, soucieux de donner une forme idéale à sa vision, qu'il calcule au détail près les effets escomptés ou qu'il obéisse à sa seule intuition. De cette combinaison volontaire ou spontanée jaillit une formule magique: le style d'un auteur.

Si les lycéens ne manquent pas de sensibilité littéraire, il faut avouer qu'ils sont cruellement désarmés lorsqu'il s'agit d'identifier, de décrire et d'analyser un fait de style. Le *Vocabulaire du commentaire de texte* entend combler cette lacune: voici un outil de travail qui permettra aux élèves d'apprécier l'art d'un auteur, puis d'acquérir de solides connaissances techniques pour aborder avec assurance les épreuves de français au baccalauréat. Il présente les principaux moyens d'expression utilisés en littérature, notamment un ensemble de formules héritées de la rhétorique grecque et connues sous le nom de «figures de style», les règles de versification, les divers types de style, niveaux de langue, etc.

On pourra circuler dans cet ouvrage de deux manières: par la table d'orientation, pour choisir ou retrouver le terme recherché; en s'aidant des renvois en fin d'article pour élargir le champ de la recherche. À l'intérieur de chaque article:
— la définition permet d'identifier et de nommer un fait de style;
— l'exemple a valeur d'illustration et sert de support à l'analyse;
— le commentaire étudie la valeur expressive du fait de style et ouvre des pistes pour une étude détaillée.
À l'occasion d'une analyse stylistique, les élèves pourront s'inspirer de la démarche adoptée dans ce livre. Ils veilleront cependant à *adapter* leur analyse d'un fait de style au contexte dans lequel il apparaît et ne perdront pas de vue *qu'un même fait de style peut avoir des valeurs différentes d'un texte à un autre.*

Ces conditions réunies, nul doute que le *Vocabulaire du commentaire de texte* apportera aux élèves ce qu'ils cherchent: un savoir et une méthode.

Les Auteurs.

Table d'orientation

Catégories de mots

forme: monosyllabe, mot composé, mot court, mot long;

nature: adjectif (qualificatif, place de l'adjectif, employé comme adverbe, employé comme nom), adverbe, article (défini, indéfini, absence d'article), articulateur, conjonction (de coordination, de subordination), déterminant, interjection, nom propre;

fonction et construction: adjectivation, apposition, comparatif, complément absolu, datif éthique, épithète, épithète détachée, anacoluthe, anastrophe, asyndète, chiasme, coordination, disjonction, explétion, hypallage, hyperbate, hypozeuxe, parataxe, phrase complexe, subordination, superlatif, syllepse.

Comparaison

allégorie, analogie, catachrèse, comparaison, métaphore, métaphore filée, métonymie, périphrase, synecdoque.

Création de mot

acronyme, apocope, diminutif, emprunt, franglais, mot composé, mot-valise, néologisme, onomatopée, phonétique, sigle.

Discours - énoncé

aposiopèse, apostrophe, argument, banalité, citation, cohérence, commentaire, définition, déprécation, description, dialogue, dialogue de sourds, direct, énoncé, énonciation, épiphonème, épiphrase, généralité, imprécation, lieu commun, modalités appréciatives, modalités logiques, monologue, paraphrase, participation affective, performatif, poncif, portrait, récit, ton, tutoiement, vouvoiement.

Humour - ironie

amphigouri, ampoulé, anagramme, antiphrase, astéisme, burlesque, caricature, comique de mots, contrepèterie, contresens, coq-à-l'âne, dialogue de sourds, équivoque, galimatias, ironie, non-sens, parodie, pastiche, pointe, satirique.

Image - évocation

allégorie, antonomase, catachrèse, cliché, comparaison, connotation, figuré, homéotéleute, image, impressionniste, métaphore, métonymie, parabole, périphrase, personnification, prosopopée, symbole, synecdoque.

Incorrection - maladresse
amphigouri, anachronisme, anacoluthe, barbarisme, cacophonie, contresens, équivoque, galimatias, impropriété, incorrection, jargon, maladresse, non-sens, orthographe, paraphrase, phonétique, pléonasme, redondance, répétition, syllepse, tautologie.

Insinuation - suggestion
allusion, ambiguïté, commination, connotation, dubitatif, équivoque, insinuation, modalités appréciatives.

Insistance
accumulation, adjonction, adnomination, amplification, anadiplose, anaphore, antanaclase, chiasme, conglobation, emphase, enflure, énumération, épanalepse, équivoque, hyperbole, hypozeuxe, incantatoire, leitmotiv, pléonasme, redondance, refrain, répétition, tautologie.

Jeu de mots
adnomination, alliance de mots, anagramme, antanaclase, antiphrase, cacophonie, calembour, consonance, contrepèterie, harmonie imitative, hiatus, holorime, homonyme, homophone, hypallage, jeu de mots, lipogramme, mot-valise, néologisme, onomatopée, palindrome, paradoxe, paraphonie, paronomase, rétrograde.

Langue populaire
adage, aphérèse, aphorisme, apocope, apophtegme, argot, axiome, calembour, dialecte, ellipse, familier, langue parlée, onomatopée, proverbe, régionalisme, syncope.

Mode et aspect
aspect, conditionnel, duratif, factitif, gérondif, impératif, indicatif, infinitif, momentané, participe, subjonctif.

Niveau de langue
argot, courant, familier, langue parlée, soutenu.

Opposition
alliance de mots, antithèse, antonyme, concession, dichotomie, disjonction, hypallage, négation, oxymore, paradoxe, paronomase.

Phrase

assertion, exclamative, hypallage, hyperbate, hypozeuxe, impersonnelle, incise, injonction, interrogation (directe, globale, partielle, oratoire), interro-négation, juxtaposition, ordre des mots, paragraphe, passif, personnelle, phrase (courte, nominale, simple, complexe), rythme (de la phrase, rupture de rythme), subordination.

Ponctuation

blanc, crochets, guillemet, juxtaposition, parenthèse, point (point-virgule, deux-points, d'interrogation, d'exclamation, de suspension), ponctuation, tiret, virgule.

Rhétorique

figure de mot (qui concerne les qualités sonores de la langue) : antanaclase, calembour, clausule, hiatus ;

figure de construction : amplification, anacoluthe, anastrophe, anticlimax, antithèse, brachylogie, chiasme, concession, coq-à-l'âne, disjonction, ellipse, envolée, épiphonème, exhortation, exorde, gradation, interrogation partielle, inversion, péroraison, redondance, répétition, reprise, syllogisme, symétrie, tmèse, zeugma ;

figure de sens ou *trope :* antonomase, catachrèse, hypallage, hyperbole, litote, métalepse, métaphore, métaphore filée, métonymie, oxymore, synecdoque ;

figure de pensée : allégorie, allusion, atténuation, commentaire, commination, euphémisme, hypotypose, hypozeuxe, injure, interrogation oratoire, moralité, paradoxe, parodie, pastiche, pathos, périphrase, personnification, prétérition, prolepse, prosopopée, réticence, symbole.

Rythme

accent d'intensité, binaire, cadence, clausule, égalité, rythme (de la phrase, du vers, rupture de rythme), ternaire.

Sens

abstrait, antonyme, concret, connotation, contresens, dénotation, figuré, monosémie, non-sens, polysémie, propre, synonyme, vocabulaire spécialisé.

Son, sonorité

accent d'intensité, adnomination, allitération, assonance, cacophonie, consonance, diérèse, « e » muet, « e » sourd, fermée (voyelle), harmonie imitative, hiatus, homonyme, homophone, musicalité, nasales (consonne et voyelle), ouverte (voyelle), paronomase, paraphonie, sonore (consonne), sonorité, sourde (consonne), synérèse.

Style

académique, administratif, ampoulé, archaïsme, baroque, burlesque, classique, clean, couleur locale, délibératif, démonstratif, didactique, direct, épique, ésotérique, exotisme, formel, gastronomique, hermétique, impressionniste, incantatoire, indirect, indirect libre, journalistique, lyrisme, merveilleux, oratoire, pittoresque, polémique, publicitaire, réaliste, rhétorique, satirique, sublime, technique.

Temps

anachronisme, aspect, futur, imparfait, passé antérieur, passé composé, passé simple, plus-que-parfait, présent, présent de narration.

Versification

rime : alternance, cheville, croisées, embrassées, équivoque, féminine, holorime, isomètre, léonine, masculine, monomètre, pauvres, plates, rétrograde, riches, rime pour l'œil, suffisantes ;

rythme : binaire, cadence, césure, clausule, contre-rejet, coupe, égalité, impair, mesure, rejet, rythme (du vers, rupture de rythme), ternaire ;

sonorité : adnomination, allitération, assonance, cacophonie, consonance, diérèse, harmonie imitative, hiatus, homonyme, homophone, musicalité, paraphonie, paronomase, sonore, sonorité, sourde, synérèse ;

strophe : acrostiche, irréguliers, monomètre ;

technique : alternance, césure, chute, clausule, contre-rejet, coupe, diérèse, enjambement, épanalepse, hémistiche, pointe ;

vers : alexandrin, blancs, décasyllabe, distique, hendécasyllabe, heptasyllabe, hexasyllabe, impair, irréguliers, léonin, libre, monomètre, monostiche, octosyllabe, pentasyllabe, rétrograde, tétrasyllabe, trimètre, trisyllabe.

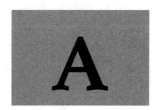

abstrait (mot)

Un mot est dit *abstrait* lorsqu'il désigne une réalité non palpable ou une notion que seul l'esprit peut saisir.

Exemples

La blancheur, la joie.

Commentaire

Les mots abstraits s'adressent à l'intelligence plutôt qu'aux sens, aussi obligent-ils le lecteur à faire un effort de pensée pour se représenter la notion abordée. Trop de mots abstraits dans un texte compromettent sa lisibilité.

→ CONCRET (mot).

académique (style)

À l'origine, se disait d'un style qui respectait scrupuleusement les règles énoncées dès 1635 par l'Académie française pour fixer le bon usage. Ce mot a aujourd'hui une coloration plutôt péjorative : il caractérise un style dépourvu de personnalité, toujours conventionnel et parfois prétentieux.

Exemple

Quelque génie qu'on puisse avoir, on a besoin de l'exercer et de le corriger par la réflexion et par les règles, et les préceptes ne sont point inutiles. (Vauvenargues, *Dialogues*.)

Commentaire

Le style académique confère au discours une certaine solennité. Par son absence totale d'émotion, il donne une impression de froideur et de rigidité. Son exactitude, qui fixe le sens de la phrase une fois pour toutes, interdit au destinataire la moindre interprétation ou extrapolation.

accent d'intensité

Dans la prononciation du français, certaines syllabes sont davantage appuyées que d'autres : on dit qu'elles sont frappées d'un accent d'intensité, ou accent tonique.

Dans un mot isolé, cet accent frappe la dernière syllabe comportant une voyelle prononcée (ex. 1).

Dans la phrase ou le vers, cet accent porte sur la dernière syllabe à voyelle prononcée de chaque groupe formant une unité de sens (ex. 2).

Exemples

1. Ridi<u>cule</u>. Absolum<u>ent</u>.
2. Touj<u>ours</u> avec l'esp<u>oir</u> de rencon<u>trer</u> la m<u>er</u>
   Ils voyage<u>aient</u> sans p<u>ain</u>, sans bâ<u>tons</u> et sans <u>urnes</u>
   Mord<u>ant</u> au citron d'<u>or</u> de l'id<u>éal</u> am<u>er</u>
   (Stéphane Mallarmé, *Premiers Poèmes*, « le Guignon ».)

Commentaire

L'accent d'intensité, qui revient à intervalles plus ou moins réguliers, définit le rythme de base de la phrase ou du vers dont il règle le mouvement en produisant des effets d'accélération ou de ralentissement.

accumulation *nom fém.*

Cette figure de style permet dans une phrase un foisonnement de détails qui développent l'idée principale par touches successives, au moyen d'adjectifs et de compléments. Elle cherche à cerner un sujet, à tout dire sur une question.

Exemple

Elle commençait sous les pieds, l'Exposition, par ce déballez-moi-ça de gogos, ce méli-mélo de bronzes d'art, de géraniums, de filles, de soldats, de bourgeois, de gosses, de grandes eaux, d'Annamites, de Levantins, d'étrangers frais débarqués et de voyous venus de la Butte, par ce pandémonium étonné, goguenard, bruyant, traînant la patte. (Louis Aragon, *les Voyageurs de l'impériale*.)

Commentaire

L'accumulation est source de précision et de richesse quand elle traduit toutes les nuances de la réalité observée. Elle peut créer une impression de désordre, d'éparpillement, de luxuriance ou de lourdeur selon le sens du texte, et principalement dans les descriptions. Dans certains cas, elle suggère l'incapacité d'un auteur à présenter une pensée ferme et concise, à trouver le mot juste.

→ DESCRIPTION, ÉNUMÉRATION.

acronyme *nom masc.*

Sigle constitué d'initiales et prononcé comme un mot ordinaire (ex. 1). Certains acronymes ont perdu leurs points abréviatifs et sont devenus des noms (ex. 2). D'autres présentent non pas une succession d'initiales mais les deux ou trois premières lettres de chaque mot constitutif du sigle (ex. 3).

Exemples

1. L'O.T.A.N. = l'Organisation du Traité de l'Atlantique Nord.
2. Le sida = Syndrome Immuno-Déficitaire Acquis.
3. Le Benelux = <u>Be</u>lgique, <u>Ne</u>derland, <u>Lux</u>embourg.

Commentaire

L'acronyme consacre la notoriété d'une entreprise, d'une organisation par la création d'un néologisme.

→ NÉOLOGISME, SIGLE.

acrostiche *nom masc.*

Poème dans lequel les initiales de chaque vers, lues verticalement, composent le nom de l'auteur ou du dédicataire, ou rappellent un mot-clé.

Exemple

<u>M</u>on aimée adorée avant que je m'en aille,
<u>A</u>vant que notre amour, Maria, ne déraille,
<u>R</u>âle et meurt, m'amie, une fois, une fois,
<u>I</u>l faut nous promener tous deux seuls dans les bois,
<u>A</u>lors je m'en irai plein de bonheur je crois.
(Guillaume Apollinaire, *Poèmes retrouvés*, «Maria».)

Commentaire

L'acrostiche peut être une forme poétique qui valorise les acrobaties verbales. Par ailleurs, il retient l'œil du lecteur, dérangé dans sa lecture coutumière. L'acrostiche est très employé dans la publicité, car il facilite pour le consommateur la mémorisation du nom d'un produit.

→ MOT-CLÉ.

adage *nom masc.*

Formule sentencieuse qui énonce une vérité générale ou une règle d'action. Ce mot désigne ordinairement un proverbe ancien.

Exemple

À la cour, continua M. d'Artagnan père, si toutefois vous avez l'honneur d'y aller, honneur auquel, du reste, votre vieille noblesse vous donne des droits, soutenez dignement votre nom de gentilhomme, qui a été porté par vos ancêtres depuis plus de cinq cents ans [...] <u>C'est par son courage, entendez-vous bien, par son courage seul, qu'un gentilhomme fait son chemin aujourd'hui.</u> (Alexandre Dumas, *les Trois Mousquetaires*.)

Commentaire

L'adage produit souvent un effet de solennité, doublé d'une connotation morale. Dans certains contextes (discours, entretien, proclamation, plaidoyer, etc.), il peut prendre la valeur d'un argument implicite.

→ APOPHTEGME, ASSERTION, PROVERBE.

adjectif *nom masc.*

◆ adjectif qualificatif

L'adjectif qualificatif correspond à une catégorie grammaticale étroitement associée à celle du nom. Il traduit en effet une qualité, un aspect, un signe distinctif de l'être ou de la chose désignés par le nom.

Exemple

Au premier coup d'œil, les joueurs lurent sur le visage du novice quelque <u>horrible</u> mystère ; ses <u>jeunes</u> traits étaient empreints d'une grâce <u>nébuleuse</u>, son regard attestait des efforts trahis, mille espérances trompées ! La <u>morne</u> impassibilité du suicide donnait à ce front une pâleur <u>mate</u> et <u>maladive</u>, un sourire <u>amer</u> dessinait de <u>légers</u> plis dans les coins de la bouche, et la physionomie exprimait une résignation qui faisait mal à voir. (Honoré de Balzac, *la Peau de chagrin*.)

Commentaire

L'adjectif a une valeur décorative : il orne le nom de ses qualités intrinsèques ou potentielles. Dans un emploi métaphorique (ex. : *nébuleuse*), il confère à la phrase une facture poétique, tandis qu'au sens propre il concrétise et authentifie le nom dont il déploie et enrichit le sens.

→ ÉPITHÈTE.

◆ place de l'adjectif

La place de l'adjectif n'est pas, en français, strictement réglementée. C'est l'usage qui fait la règle. D'une manière générale, l'adjectif qualificatif exprimant une appréciation esthétique ou un jugement de valeur se place devant le nom (ex. 1). Dans ce cas, l'adjectif et le nom, étroitement associés, produisent un sens global.

En revanche, on trouvera souvent après le nom un adjectif exprimant une caractérisation singulière (ex. 2). Les écrivains jouent fréquemment sur l'inversion de l'ordre mis en place par l'usage, pour produire des effets particuliers (ex. 3).

Exemples

1. Elle eut pitié de cette <u>pauvre</u> créature, arrêtée à la porte d'entrée et qui, évidemment, n'osait pas lever la main jusqu'à la sonnette. (Stendhal, *le Rouge et le Noir*.)
2. Un rictus <u>hideux</u> tordit sa bouche. (Herman Melville, *Moby Dick*.)
3. Elle songe, et sa tête <u>petite</u> s'incline.
   (Paul Valéry, *Poésies*, « la Fileuse ».)

Commentaire

Le jeu sur la place de l'adjectif produit une impression de raffinement et traduit généralement une vision unique, une pensée inhabituelle qui exige, pour s'exprimer, un réaménagement de l'ordre traditionnel des mots dans la phrase.

→ ÉPITHÈTE.

◆ adjectif employé comme adverbe

L'adjectif peut, dans certains cas, changer de catégorie. Ainsi joue-t-il parfois, dans la phrase ou le vers, le rôle d'un adverbe.

Exemples

1. Il souriait <u>large</u>. (Hervé Bazin, *l'Huile sur le feu*.)
2. On les confond <u>facile</u> avec les concierges. (Alphonse Boudard, *les Combattants du petit bonheur*.)

Commentaire

L'adjectif employé comme adverbe crée un effet de discordance qui peut provisoirement déconcerter le lecteur. Par sa fonction inhabituelle, il monopolise le sens général de la phrase.

◆ adjectif employé comme nom

Solidaire et dépendant du nom, l'adjectif qualificatif glisse fréquemment dans la catégorie du nom jusqu'à perdre son identité d'origine. Il existe ainsi en français toute une série de noms qui sont d'anciens adjectifs et qui occupent désormais un double emploi dans la langue (ex. 1).

Mais, la plupart du temps, l'adjectif employé comme nom vise à des effets particuliers (ex. 2).

Exemples

1. Il conclut, après bien des réflexions, que <u>le beau</u> est très relatif, comme ce qui est décent au Japon est indécent à Rome, et ce qui est de mode à Paris ne l'est pas à Pékin ; et il s'épargna la peine de composer un long traité sur <u>le beau</u>. (Voltaire, *Dictionnaire philosophique*, article «Beau, beauté».)

2. Il gênait les flâneurs, il excitait les paresseux, il ranimait <u>les fatigués</u>, il impatientait <u>les pensifs</u>, mettait les uns en gaîté, les autres en haleine, les autres en colère, tous en mouvement. (Victor Hugo, *les Misérables*.)

Commentaire

L'adjectif employé comme nom garde de son origine un fort pouvoir de caractérisation. En changeant de catégorie, il devient concret et prend une connotation réaliste. Le nom ainsi créé étonne et séduit par son originalité.

adjectivation   *nom fém.*

Dans le couple adjectif-nom, il y a souvent transfert d'emploi d'un mot à l'autre. Ainsi voit-on fréquemment des noms jouer, dans la phrase ou le vers, le rôle d'un adjectif qualificatif.

Exemple

J'aurais eu peine à croire qu'il y eût des spectateurs assez <u>enfants</u> pour aller voir cette imitation. (Jean-Jacques Rousseau, *la Nouvelle Héloïse*.)

Commentaire

L'adjectivation, qui transforme en qualité la notion exprimée par le nom, produit un effet d'abstraction. Détournement grammatical, elle introduit dans un texte une note insolite.

adjonction   *nom fém.*

Figure de style qui consiste à raccrocher plusieurs mots ou groupes de mots à un terme commun, souvent pour ajuster une idée ou préciser une pensée.

Exemple

Dans le hall, cette impression de bourdonnement, <u>de ruche en mouvement</u>, se précise. (Jean Tardieu, *Trois souvenirs d'un figurant*, «les Figures de style».)

Commentaire

L'adjonction produit un effet de suspense, car la signification provisoirement suspendue, tour à tour complétée et modifiée, se dégage à retardement.

→ ACCUMULATION, ÉNUMÉRATION.

administratif (style)

Style dépersonnalisé, d'une certaine rigidité d'écriture. La langue administrative respecte la hiérarchie, la politesse et les conventions. Elle utilise souvent un code et des formules figées depuis longtemps. On l'emploie dans les écrits intra-administratifs ou entre les services administratifs et les particuliers.

Exemple

J'ai le regret de vous faire savoir que, dans les circonstances présentes, nous ne pouvons répondre favorablement à votre demande.

Commentaire

Le style administratif est censé apporter une réponse claire et sans ambiguïté à tout problème posé à l'Administration. S'il se définit par sa précision et sa concision, sa froideur apparente n'exclut jamais la politesse et le respect dus à l'administré. De ce fait, il tente d'instaurer des relations de confiance entre l'institution et le particulier.

adnomination *nom fém.*

Ce procédé de style, appelé parfois *paronomase,* consiste à faire revenir, à intervalles irréguliers mais brefs, des mots à consonances voisines mais de sens différent.

Exemple

Ils donnent à la <u>vanité</u> ce que nous donnons à la <u>vérité</u>. (Jean-Baptiste Massillon, *Sermons.*)

Commentaire

La langue française n'apprécie guère ces jeux de mots dont la grâce n'a pas touché les grands écrivains. Le procédé, s'il n'est pas dominé, risque de disqualifier son auteur et de le ranger parmi les faux précieux ou les écrivains plus enclins à la facilité d'écriture qu'au travail sur la langue.

→ ANTANACLASE, HOMÉOTÉLEUTE, JEU DE MOTS, PARONOMASE.

adverbe *nom masc.*

L'adverbe jouit, dans la phrase, d'une très grande liberté de construction. Pour lui donner une expressivité particulière, il faut, dans un contexte donné, lui trouver une place de choix, par exemple au début (ex. 1) ou à la fin de la phrase (ex. 2), ou bien s'il est court entre deux mots longs, s'il est long, entre deux mots courts (ex. 3).

Exemples

1. — Eh bien! Messieurs, leur demande le brave capitaine, vous êtes-vous bien amusés dans votre excursion?
   — <u>Prodigieusement</u>, répondit Athos, les dents serrées.
   (Alexandre Dumas, *les Trois Mousquetaires.*)
2. Quel rêve! Être les maîtres, cesser de souffrir, jouir <u>enfin</u>! (Émile Zola, *Germinal.*)
3. Les courants de la lande,
   Et les ornières immenses du reflux,
   Filent <u>circulairement</u> vers l'est,
   Vers les piliers de la forêt
   (Arthur Rimbaud, *Illuminations*, «Marine».)

Commentaire

Mis en évidence dans la phrase, l'adverbe, catégorie grammaticale secondaire, prend un sens particulièrement fort et focalise l'attention du lecteur tout en jetant dans l'ombre les mots qui l'entourent.

alexandrin *nom masc.*

Employé pour la première fois dans *le Roman d'Alexandre,* paru vers 1150, ce vers français compte douze syllabes. Son rythme repose sur les règles de l'accentuation et de la césure — qui constitue une pause après la sixième syllabe et sépare le vers en deux demi-vers, ou hémistiches.

Chaque hémistiche possède un accent fixe sur la dernière syllabe, et un accent secondaire mobile. On appelle *tétramètre* un alexandrin dont le rythme est 3 + 3 + 3 + 3 (ex. 1), *trimètre,* ou *vers romantique,* un vers dont le rythme est 4 + 4 + 4 et où la césure disparaît (ex. 2). Certains rythmes sont parfaitement remarquables: 1 + 5 + 4 + 2 (ex. 3). Parfois les accents secondaires, par leur multiplication, l'emportent en intensité sur la césure (ex. 4).

Exemples

1. Et de longs corbillards sans tambour ni musique
   (Charles Baudelaire, *les Fleurs du mal*, «Spleen».)
2. Et ces nuits-là, je suis dans l'ombre comme un mort.
   (Albert Samain, *Au jardin de l'infante.*)
3. Valse mélancolique et langoureux vertige
   (Charles Baudelaire, *les Fleurs du mal*, «Harmonie du soir».)
4. Hé! mon Dieu! nos Français, si souvent redressés,
   Ne prendront-ils jamais un air de gens sensés?
   (Molière, *les Fâcheux*, acte II, sc. 1.)

Commentaire

L'alexandrin est le vers de la grande poésie lyrique et de l'épopée. Il apporte ampleur et solennité à l'expression selon les coupes (pauses qui suivent les accents) choisies par le poète.

→ CÉSURE, COUPE, DÉCASYLLABE, HÉMISTICHE, RYTHME DU VERS, TRIMÈTRE.

allégorie *nom fém.*

Expression d'une idée par une métaphore animée. L'allégorie se signale souvent à l'attention du lecteur par une majuscule. Le conte, la fable et le mythe utilisent volontiers cette figure de style.

Exemple

Pauvreté, qui n'est point dans l'aisance,
amena son fils Larcin
qui pour aider sa mère
s'en va en courant au gibet
et s'y fait quelquefois pendre
car sa mère ne peut le défendre ;
son père non plus, Cœur faibli,
qui de chagrin en est accablé.
(Jean de Meung, *le Roman de la Rose*, adaptation André Lanly.)

Commentaire

L'allégorie, qui superpose le sens littéral d'un mot généralement abstrait à une image, a une forte puissance représentative. Elle permet une mise en scène habile des idées qui, sous cette forme, prennent vie et se personnalisent.

→ MÉTAPHORE, PERSONNIFICATION.

alliance de mots

Elle consiste à associer deux mots que l'usage ne juxtapose pas d'ordinaire, car ils sont très éloignés par leurs sens souvent antithétiques.

Exemple

Cette obscure clarté qui tombe des étoiles
Enfin, avec le flux, nous fait voir trente voiles.
(Pierre Corneille, *le Cid,* acte IV, sc. 3.)

Commentaire

La rencontre inopinée de deux termes antithétiques permet de résoudre leur opposition, en créant une réalité parallèle, poétique ou psychologique, qui prend le pas sur une perception commune de l'ordre des choses.

→ ANTITHÈSE, HYPALLAGE, OXYMORE, PARADOXE, ZEUGMA.

allitération *nom fém.*

Répétition d'une même consonne dans une phrase ou un vers.

Exemples

1. De blancs sanglots glissant sur l'azur des corolles.
   (Stéphane Mallarmé, *Apparition.*)
2. Il dort dans le soleil, la main sur sa poitrine
   Tranquille. Il a deux trous rouges au côté droit.
   (Arthur Rimbaud, *le Dormeur du val.*)
3. Chacun se dispersa sous les profonds feuillages.
   (Victor Hugo, *les Contemplations*, « la Fête chez Thérèse ».)

Commentaire

L'allitération n'est intéressante à commenter que lorsqu'elle renforce la valeur phonique ou le sens de la phrase. Elle peut produire un effet de douceur et de glissement (la liquide *l* de l'exemple 1), de dureté, accentuant une certaine fatalité (les dentales *d* et *t*, la liquide *r* de l'exemple 2), de sensualité (le *f* et le *s* dans l'exemple 3). Il faut se garder de multiplier les allitérations car elles seront assimilées à une gaucherie du scripteur.

Il est toujours difficile de déterminer les effets d'une allitération, car on risque de tomber dans l'interprétation gratuite ou la subjectivité.

→ ASSONANCE, HARMONIE IMITATIVE, PARONOMASE.

allusion *nom fém.*

L'allusion consiste à mentionner une chose, une idée ou une pensée, pour en suggérer indirectement une autre à laquelle elle est liée. L'allusion peut être historique, mythologique, verbale.

Exemple

Pendant que les grands négligent de rien connaître, je ne dis pas seulement aux intérêts des princes et aux affaires publiques, mais à leurs propres affaires […], des citoyens (1) s'instruisent du dedans et du dehors d'un royaume, étudient le gouvernement, deviennent fins et politiques, savent le fort et le faible de tout un État, songent à se mieux placer, se placent, s'élèvent, deviennent puissants, soulagent le prince d'une partie des soins publics. (Jean de La Bruyère, *Des grands.*)

(1) Allusion à Colbert, mais aussi à tous les bourgeois, qui, sous le règne de Louis XIV, occupent des postes clés dans l'administration.

Commentaire

L'allusion donne du mystère et de la profondeur au texte. Elle peut également avoir un pouvoir polémique d'autant plus fort qu'il est clandestin. Elle ne peut être décodée que si l'auteur et le lecteur appartiennent à la même communauté culturelle.

→ ÉQUIVOQUE.

alternance   *nom fém.*

Règle de la versification française classique, qui utilise après une rime masculine une rime féminine.

Exemple

Mon cœur, lassé de tout, même de l'espér*ance*,
N'ira plus de ses vœux importuner le s*ort*;
Prêtez-moi seulement, vallons de mon enf*ance*,
Un asile d'un jour pour attendre la m*ort*.
(Alphonse de Lamartine, *Méditations poétiques*, «le Vallon».)

Commentaire

Cette alternance de rimes terminées une fois sur deux par un *e* muet ne produit d'effet que très rarement. Cette convention est plus agréable à l'œil qu'à l'oreille. (Voir aussi la table d'orientation, *versification*.)

→ FÉMININE, MASCULINE.

ambiguïté   *nom fém.*

L'ambiguïté est la marque d'un énoncé qui a plusieurs sens possibles et dont l'interprétation est incertaine.

Exemples

1. Elles font les courses qu'on les charge de faire <u>en dépit du bon sens</u>.
   (Suzanne Prou, *les Pataphoris*.)
2. Pendant que Fabrice était à la chasse de l'amour dans un village voisin de Parme, le fiscal général Rassi, qui ne le savait pas si près de lui, continuait à traiter <u>son</u> affaire comme s'il eût été un libéral. (Stendhal, *la Chartreuse de Parme*.)
3. La jeunesse de Molière.

Commentaire

L'ambiguïté crée un effet de complexité ou de richesse selon le cas. Le flottement du sens produit un flou qui, s'il n'est pas voulu par l'auteur, invalide la phrase ou le vers, alors que, intentionnel, il peut prendre une valeur ludique ou provocante.

→ ÉQUIVOQUE.

amphigouri *nom masc.*

Introduit dans la langue par Rousseau en 1762, ce mot désigne un énoncé embrouillé ou inintelligible.

Exemple

L'assomption jubilatoire de l'image spéculaire... manifeste en une situation exemplaire la matrice symbolique où le Je se précipite en une forme primordiale, avant qu'il ne s'objective dans la dialectique de l'identification à l'autre et que le langage ne lui restitue dans l'universel sa fonction de sujet. (Jacques Lacan, *le Stade du miroir*.)

Commentaire

L'amphigouri, lorsqu'il est voulu, produit un effet burlesque sur le lecteur. S'il ne l'est pas, il compromet ou bloque la communication entre le scripteur et le lecteur non initié.

→ ENFLURE, ÉSOTÉRIQUE, GALIMATIAS, JARGON.

amplification *nom fém.*

L'amplification est un procédé par lequel on développe une idée à l'aide d'exemples, de citations, de détails supplémentaires ou de descriptions. Ce type de construction présente une structure en paliers successifs qui déplacent le sens en vagues identiques ou croissantes (ex. 1).

Le terme peut avoir une coloration péjorative lorsqu'il désigne un développement artificiel trop chargé, qui s'égare dans les méandres de la rhétorique au détriment de la clarté des idées (ex. 2).

Exemples

1. Il a si bien établi son discours, il a donné au défunt des louanges si mesurées ; il a passé par tous les endroits délicats avec tant d'adresse ; il a si bien mis dans son jour tout ce qui pouvait être admiré ; il a fait des traits d'éloquence et des coups de maître si à propos et de si bonne grâce, que tout le monde, je dis tout le monde, sans exception, s'en est écrié et chacun était charmé d'une action si parfaite et si achevée. (Mme de Sévigné, *Lettres*, 51.)

2. La Goualeuse avait reçu un autre surnom, dû sans doute à la candeur virginale de ses traits...
   On l'appelait encore *Fleur-de-Marie*, mots qui en argot signifient la *Vierge*.
   Pourrons-nous faire comprendre au lecteur notre singulière impression, lorsqu'au milieu de ce vocabulaire infâme, où les mots qui signifient le vol, le sang, le meurtre, sont encore plus hideux et plus effrayants que

les hideuses et effrayantes choses qu'ils expriment, lorsque nous avons, disons-nous, surpris cette métaphore d'une poésie si douce, si tendrement pieuse : *Fleur-de-Marie.*

Ne dirait-on pas un beau lis élevant la neige odorante de son calice immaculé au milieu d'un champ de carnage ?

Bizarre contraste, étrange hasard ! les inventeurs de cette épouvantable langue se sont ainsi élevés jusqu'à une sainte poésie ! ils ont prêté un charme de plus à la chaste pensée qu'ils voulaient exprimer !

Ces réflexions n'amènent-elles pas à croire [...] que certains principes de moralité, de pitié, pour ainsi dire innés, jettent encore quelquefois çà et là de vives lueurs dans les âmes les plus ténébreuses ? Les scélérats *tout d'une pièce* sont des phénomènes assez rares.

(Eugène Sue, *les Mystères de Paris.*)

Commentaire

L'amplification produit un effet de dilatation, d'élargissement qui donne un élan à la phrase dans un mouvement d'ouverture (ex. 1). Mais une amplification lourdement rhétorique sent l'artifice et appesantit la phrase (ex. 2).

→ ACCUMULATION, CONGLOBATION, DESCRIPTION, ÉNUMÉRATION.

ampoulé (style)

Se dit d'un style ou d'un discours prétentieux ou emphatique. Les précieux du XVIIe siècle goûtaient ce style sans profondeur, où les mots n'étaient plus utilisés pour leur sens mais pour l'ornement qu'ils apportaient.

Exemple

Et, quand tu vois ce beau carrosse,
Où tant d'or se relève en bosse,
Qu'il étonne tout le pays
Et fait pompeusement triompher ma Laïs,
Ne dis plus qu'il est amarante,
Dis plutôt qu'il est de ma rente.

(Molière, *les Femmes savantes,* acte III, sc. 2.)

Commentaire

Le style ampoulé permet fréquemment à un auteur de se moquer des travers d'un groupe social qui se reconnaît dans une certaine façon de parler et d'écrire. S'il n'est pas maîtrisé, il révèle chez le scripteur la médiocrité de son écriture.

anachronisme *nom masc.*

On parle d'*anachronisme* pour désigner une erreur qui consiste à placer un fait avant ou après sa date, ou à mélanger les indices d'époque dans un texte. On appelle *prochronisme* l'erreur qui consiste à placer un événement avant sa date et *parachronisme* l'erreur qui consiste à placer un événement après sa date.

Exemples

1. Mais quoique le combat nous promette un cercueil
La gloire de ce choix m'enfle d'un juste orgueil
(Pierre Corneille, *Horace*, acte II, sc. 1.)

   Sous la Rome antique, les morts ne sont jamais enterrés dans des cercueils.

2. HECTOR. — Ton fils peut être lâche. C'est une sauvegarde.
ANDROMAQUE. — Il ne sera pas lâche. Mais je lui aurai coupé l'index de la main droite.
(Jean Giraudoux, *La guerre de Troie n'aura pas lieu*, acte I, sc. 3.)

   Référence, par anticipation, à l'époque où les hommes seront réformés si une amputation les empêche de presser sur la gâchette d'une arme à feu.

Commentaire

L'anachronisme induit un effet de discordance qui peut éveiller une inquiétude ou conférer au texte une dimension ludique, voire satirique.

anacoluthe *nom fém.*

Rupture dans la construction syntaxique d'une phrase.

Exemple

Chaque soir, <u>espérant des lendemains épiques</u>,
L'azur phosphorescent de la mer des Tropiques
Enchantait leur sommeil d'un mirage doré...
(José Maria de Heredia, *les Conquérants*.)

Commentaire

L'anacoluthe est assez rare en français, plus fréquente en grec ancien. Il convient de la manier avec rigueur, sous peine de n'obtenir qu'une incorrection. La rupture hardie qu'elle produit détourne la phrase de sa suite logique, désoriente le lecteur, peu habitué à voir le sens l'emporter sur la grammaire. La langue publicitaire l'emploie de plus en plus, pour les effets de surprise qu'elle ménage dans la phrase.

→ APOSIOPÈSE, PHRASE.

anadiplose *nom fém.*

Procédé qui consiste à reprendre au début d'une proposition un mot qui appartient à la proposition précédente. Il est particulièrement remarquable lorsque le mot repris figure à la fin de la proposition précédente.

Exemples

1. Sur la mer il y a un bateau — dans le bateau il y a une chambre.
   Dans la chambre il y a une cage — dans la cage il y a un oiseau.
   (Marcel Schwob, *le Livre de Monelle.*)

2. Le néant a produit <u>le vide</u>, <u>le vide</u> a produit <u>le creux</u>, <u>le creux</u> a produit <u>le souffle</u>, <u>le souffle</u> a produit <u>le soufflet</u> et <u>le soufflet</u> a produit le soufflé.
   (Paul Claudel, *le Soulier de satin.*)

Commentaire

Dans l'exemple 2, l'anadiplose permet de faire passer un raisonnement très subjectif pour une enquête scientifique, d'accréditer un discours par une structure logique très contraignante.

→ COHÉRENCE, RÉPÉTITION.

anagramme *nom fém.*

Ce jeu verbal consiste à changer la place des lettres d'un mot ou d'une phrase afin d'obtenir d'autres mots ou d'autres phrases.

Exemples

1. Salvador Dali/Avida Dollars. (André Breton.)

2. Nacre/ancre/rance.

3. Par exemple, <u>Élomire</u> [Molière]
   Veut se rendre parfait dans l'art de faire rire.
   (Le Boulanger de Chalussay, *Élomire ou les Médecins.*)

Commentaire

Lorsque l'anagramme dépasse le simple jeu de mots ou l'acrobatie verbale, elle peut créer un effet humoristique ou ironique, rapprochant des signifiés différents qui se superposent et se complètent (ex. 1).

→ CONTREPÈTERIE, JEU DE MOTS.

analogie *nom fém.*

Procédé qui établit une ressemblance entre deux ou plusieurs objets totalement étrangers. L'analogie inspire la métaphore et la comparaison.

Exemple

Les dormeurs sont blancs, veinés de vert pâle, aussi transparents que le cristal de roche ; leurs cuisses laissent passer les rayons du jour. Ils n'ont pas la solidité du marbre le plus ordinaire ; ils sont même si tendres qu'on peut les tailler, les façonner avec le couteau.
Mais au contact de leurs paupières, la nuit dure et froide se fond comme l'ardoise.
(Paul Eluard, *Donner à voir*, «Dormeurs».)

Commentaire

L'analogie est un facteur d'unité dans la pensée et dans la langue. Par les ressemblances, par les parentés qu'elle met en évidence, elle crée des corrélations et des rapports de réciprocité qui traduisent l'harmonie de l'univers derrière une apparente diversité.

→ COMPARAISON, IMAGE, MÉTAPHORE.

anaphore *nom fém.*

Procédé qui consiste à commencer plusieurs vers ou plusieurs phrases successives par un même mot ou groupe de mots (anaphore rhétorique, ex. 1) ou à reprendre un mot ou un groupe de mots par un pronom (anaphore syntaxique, ex. 2).

Exemples

1. <u>Le limon</u> se fendille, il grille et s'éparpille
   <u>Le limon</u> s'épaissit et devient une étoffe
   <u>Le limon</u> s'éparpille et devient limitrophe.
   (Raymond Queneau, *Petite Cosmogonie portative.*)

2. <u>Julien</u> avait honte de son émotion ; pour la première fois de sa vie, <u>il</u> se voyait aimé ; <u>il</u> pleurait avec délice, et alla cacher ses larmes dans les grands bois au-dessus de Verrières. (Stendhal, *le Rouge et le Noir.*)

Commentaire

L'anaphore rhétorique (ex. 1) présente un fort pouvoir expressif et persuasif. Elle traduit des sentiments puissants comme l'amour, la haine, la colère et produit un effet de symétrie rythmique à valeur poétique.

L'anaphore syntaxique (ex. 2), qui permet d'éviter une répétition, allège la phrase, lui donnant souplesse et élégance.

→ RÉPÉTITION.

anastrophe *nom fém.*

Renversement de la construction habituelle d'une phrase, de l'ordre de ses mots.

Exemple

Étroits sont les vaisseaux, étroite notre couche.
Immense l'étendue des eaux, plus vaste notre empire
Aux chambres closes du désir.
(Saint-John Perse, *Amers*, «Strophe».)

Commentaire

Cette rupture syntaxique des habitudes grammaticales surprend le lecteur. Le texte devient incantatoire ; chaque mot voit son sens renforcé par la nouvelle place qui lui est réservée.

→ HYPERBATE, INVERSION, ORDRE DES MOTS.

antanaclase *nom fém.*

Figure de style qui consiste à reprendre le même mot dans une phrase, mais en l'employant dans deux sens différents.

Exemples

1. Le cœur a ses <u>raisons</u> que la <u>raison</u> ne connaît point. (Blaise Pascal, *Pensées*, IV, 277.)
2. Le <u>jour</u> où le seigle devient tout doré et a son <u>jour</u> de triomphe, unique, sur le blé... (Jean Giraudoux, *Suzanne et le Pacifique*.)

Commentaire

L'antanaclase exploite les variations des mots, joue sur les homonymies et les sonorités. Elle introduit dans le discours un jeu de mots intellectuel. Son abus, souvent condamné, débouche sur des plaisanteries faciles dont la qualité est parfois discutable.

→ CALEMBOUR, JEU DE MOTS, PARONOMASE, RÉPÉTITION, SYLLEPSE.

anticlimax *nom masc.*

Figure de rhétorique qui désigne deux ensembles dont les termes s'opposent dans deux énumérations. Ces deux ensembles appartiennent à un même texte.

Exemple

Apprends à te connaître et descends en toi-même :
On t'honore dans Rome, on te courtise, on t'aime,
Chacun tremble sous toi, chacun t'offre des vœux ;
Ta fortune est bien haut, tu peux ce que tu veux ;
Mais tu ferais pitié même à ceux qu'elle irrite,
Si je t'abandonnais à ton peu de mérite. [...]
Ma faveur fait ta gloire et ton pouvoir en vient :
Elle seule t'élève, et seule te soutient.
(Pierre Corneille, *Cinna*, acte V, sc. 1.)

Commentaire

La symétrie de l'anticlimax amplifie l'opposition. Le jugement ainsi rendu est sans appel.

→ ANTITHÈSE, GRADATION.

antiphrase *nom fém.*

L'antiphrase consiste à exprimer le contraire de ce que l'on pense réellement. Les mots sont donc détournés de leur sens évident, par euphémisme ou ironie.

Exemple

Bon appétit, messieurs!
Ô ministres intègres!
Conseillers vertueux! voilà votre façon
De servir...
(Victor Hugo, *Ruy Blas,* acte III, sc. 2.)

Commentaire

Dans l'exemple ci-dessus, l'antiphrase permet à Ruy Blas d'exprimer le dégoût que lui inspirent les ministres du roi. Le spectateur entre dans le jeu du dénonciateur, car il décode aisément son message. L'antiphrase permet aussi d'obtenir des effets plaisants, humoristiques ou ironiques.

→ EUPHÉMISME, IRONIE, JEU DE MOTS.

antithèse *nom fém.*

L'antithèse permet d'opposer deux termes ou deux expressions dans une même phrase ou un même paragraphe. Elle joue sur les contrastes qu'elle exprime dans des tournures souvent symétriques.

Exemple

Faut-il de votre éclat voir triompher le comte
Et mourir sans vengeance, ou vivre dans la honte?
(Pierre Corneille, *le Cid*, acte I, sc. 4.)

Commentaire

Cette figure de rhétorique est un procédé de mise en valeur. Les deux termes qu'elle oppose s'entrechoquent pour créer un effet dramatique chargé d'émotion. Elle marque fortement la sensibilité et la mémoire du lecteur.

→ ALLIANCE DE MOTS, OXYMORE, PARADOXE.

antonomase *nom fém.*

Figure de rhétorique qui consiste soit à mettre un nom commun ou une périphrase à la place d'un nom propre (ex. 1), soit à mettre un nom propre à la place d'un nom commun ou d'une périphrase (ex. 2). La plupart du temps, l'antonomase produit une métaphore ; elle est souvent allusive.

Exemples

1. Le Malin (= Satan).
   Le père de la tragédie française (= Corneille).
2. Un Tartuffe (= un hypocrite).
   Un Frigidaire (= un réfrigérateur), une Lacoste (= une chemise de cette marque).

Commentaire

L'antonomase personnalise l'objet qu'elle désigne. Elle enrichit une notion par le mécanisme de l'assimilation.

→ ALLUSION, MÉTONYMIE, PÉRIPHRASE.

antonyme *nom masc.*

On appelle *antonymes* deux mots qui appartiennent à la même catégorie grammaticale mais qui s'opposent par le sens. L'antonymie est à la base de l'antithèse et de l'alliance de mots.
« Chaque mot d'une langue a son contraire ou son antonyme. » (Pierre Joseph Proudhon.)

Exemples

1. Ah ! que le monde est grand à la clarté des lampes !
   Aux yeux du souvenir que le monde est petit !
   (Charles Baudelaire, *les Fleurs du mal*, « le Voyage ».)
2. On fit donc payer des amendes aux riches qui écrasaient le pauvre.
   (Alexandre Dumas, *le Collier de la reine*.)

Commentaire

L'antonyme induit une vision dichotomique du monde : le rapprochement de deux antonymes dans un texte peut donc avoir un double effet. Ou bien il confirme une incompatibilité naturelle entre la chose et son contraire, ou bien il suggère une unité possible par complémentarité.
Dans le premier cas, la discordance peut être violente ou comique, selon le contexte ; dans le second cas, elle peut générer une impression d'équilibre.

→ ALLIANCE DE MOTS, ANTITHÈSE, SYNONYME.

aphérèse *nom fém.*

Procédé qui consiste à tronquer un mot par le début, en supprimant une ou plusieurs syllabes à l'initiale.

Exemples

1. Bus (= autobus).
2. Pitaine (= capitaine).
3. Cifflard (= saucifflard = saucisson).

Commentaire

Ce procédé abréviatif, peu pratiqué de nos jours, accentue la familiarité du discours. On le rencontre donc le plus fréquemment dans un niveau de langue relâché, familier, voire argotique.

→ APOCOPE, SYNCOPE.

aphorisme *nom masc.*

Phrase sentencieuse qui énonce une pensée ou une règle en quelques mots.

Exemple

En regardant de toutes mes forces, je finis par distinguer le contour de l'oiseau. Perché sur une saillie de la roche, il avait bien deux pieds de haut [...]
— S'il nous attaque, attention aux yeux ! chuchota Lili.
L'épouvante m'envahit soudain.
— Partons, dis-je, partons ! Il vaut mieux être mouillé qu'aveugle !
(Marcel Pagnol, *le Château de ma mère.*)

Commentaire

Jugement rapide et définitif, l'aphorisme, par sa portée générale, a souvent une valeur abstraite et un aspect moral.

→ ADAGE.

apocope *nom fém.*

Procédé qui consiste à tronquer un mot, en supprimant une ou plusieurs syllabes à la finale.

Exemples

1. *La P... respectueuse* (titre d'une pièce de Jean-Paul Sartre).
2. Pub (= publicité), ciné (= cinéma = cinématographe).

Commentaire

L'apocope, très répandue de nos jours, donne à la phrase et à la pensée un rythme alerte, jeune. Elle est le reflet de modes passagères ou, au contraire, c'est elle qui influence l'usage général (métro, accu, auto, micro, moto, radio, télé...) pour s'inscrire définitivement dans la langue.

→ APHÉRÈSE, SYNCOPE.

apophtegme   *nom masc.*

Parole sentencieuse devenue précepte, aphorisme, proverbe ou adage.

Exemple

Jamais homme noble ne hait le bon vin : c'est un apophtegme monacal.
(François Rabelais, *Œuvres*, I, 27.)

Commentaire

L'apophtegme apporte au texte la caution de la vérité reconnue et revendiquée. Il fonde la pensée particulière de l'auteur sur une tradition. Parler par apophtegmes permet également de condenser sa pensée.

→ ADAGE, ASSERTION, PROVERBE.

aposiopèse   *nom fém.*

Figure de style qui consiste à interrompre une construction par un silence et à enchaîner sur un autre sujet.

Exemple

LISETTE. — Ah! tirez-moi d'inquiétude. En un mot, qui êtes-vous ?
ARLEQUIN. — Je suis ... n'avez-vous jamais vu de fausse monnaie ?
(Marivaux, *le Jeu de l'amour et du hasard*, acte III, sc. 6.)

Commentaire

L'aposiopèse provoque une rupture de sens qui déstabilise la phrase et déconcerte le lecteur. Elle produit un effet de diversion à valeur dramatique ou comique.

apostrophe   *nom fém.*

Figure de style par laquelle, interrompant ou non un discours, on s'adresse directement à des personnes présentes ou absentes, à des êtres animés ou même à des objets inanimés.

Exemples

1. Mon verre est plein d'un vin trembleur comme une flamme
   Écoutez la chanson lente d'un batelier
   Qui raconte avoir vu sous la lune sept femmes
   Tordre leurs cheveux verts et longs jusqu'à leurs pieds
   (Guillaume Apollinaire, *Alcools*, «Nuit rhénane».)
2. Icebergs. Icebergs, cathédrales sans religion de l'hiver éternel, enrobés dans la calotte glaciaire de la planète Terre
   Combien hauts, combien purs sont tes bords enfantés par le froid.
   (Henri Michaux, *La nuit remue*.)

Commentaire

L'apostrophe, qui utilise le style direct, a une double valeur lyrique et emphatique. Elle convient parfaitement à la poésie ou aux discours officiels.

→ DIRECT (style), EXCLAMATIVE (phrase).

apposition *nom fém.*

L'apposition désigne la place qu'occupe, généralement entre deux virgules, un nom, un adjectif, un pronom, un infinitif ou une proposition accolés à un nom.

Exemple

Gervaise avait repris son panier. Elle ne se levait pourtant pas, le tenait sur ses genoux, <u>les regards perdus</u>, <u>rêvant</u>, comme si les paroles du jeune ouvrier éveillaient en elle des pensées lointaines d'existence. (Émile Zola, *l'Assommoir*.)

Commentaire

Expansion sémantique du nom, l'apposition, procédé de mise en valeur, isole un mot ou une expression pour en souligner le sens. Coupant la phrase en tranches successives, elle permet de raffiner le rythme.

→ ÉPITHÈTE DÉTACHÉE.

archaïsme *nom masc.*

Figure de style qui consiste à employer dans un texte des mots vieillis, démodés ou obsolètes. Malherbe, dans son souci de clarté, en recommandait la proscription dans la langue littéraire.

Exemple

Dans le brouillard s'en vont un paysan cagneux
Et son bœuf lentement dans le brouillard d'automne
Qui cache les hameaux pauvres et <u>vergogneux</u>
(Guillaume Apollinaire, *Alcools*, « Automne ».)

Commentaire

L'archaïsme peut être cultivé pour sa valeur historique, sa sonorité perdue. Il pique ainsi la curiosité du lecteur, dont il dérange les habitudes lexicales.

→ SOUTENU (niveau de langue).

argot *nom masc.*

Langue parallèle utilisée à l'origine par les malfaiteurs, soucieux de communiquer entre eux sans être compris par des oreilles indiscrètes. Possédant son propre vocabulaire et ses propres tournures syntaxiques, l'argot correspond à un niveau de langue familier dont certains auteurs se plaisent à utiliser les ressources expressives.

Exemple

Mais quand on connaît depuis vingt ans la cabine téléphonique du bistrot, par exemple, si sale qu'on la prend toujours pour les <u>chiottes</u>, l'envie vous passe de plaisanter avec les choses sérieuses et avec Rancy en particulier. (Louis-Ferdinand Céline, *Voyage au bout de la nuit.*)

Commentaire

L'argot possède une forte puissance évocatrice qui peut produire des effets de réalisme dur ou savoureux et donner au texte une note pittoresque. Mélangé à un niveau de langue soutenu, il répond à une intention esthétique de l'auteur : subtils contrastes, images singulières naissent de cette association inhabituelle.

argument   *nom masc.*

Raisonnement qui traduit une conviction, qui tend à prouver ou à réfuter une idée ou une hypothèse. Par extension, l'argument désigne également la preuve que l'on avance pour appuyer ou détruire cette idée ou cette hypothèse.

Exemple

Aucun homme n'a reçu de la nature le droit de commander aux autres. La liberté est un présent du ciel, et chaque individu de la même espèce a le droit d'en jouir aussitôt qu'il jouit de la raison. Si la nature a établi quelque autorité, c'est la puissance paternelle : mais la puissance paternelle a ses bornes ; et dans l'état de la nature, elle finirait aussitôt que les enfants seraient en état de se conduire. (Denis Diderot, *Encyclopédie*, article «Autorité politique».)

Commentaire

L'argument est le langage de la raison. Comme tel, il a une valeur explicative et démonstrative. Par son but, qui est de convaincre, il se doit d'être éloquent.

◆ argument explicite/implicite

Un argument est dit *explicite* lorsqu'il est formellement exprimé dans l'énoncé (ex. 1). Par opposition, un argument est dit *implicite* lorsqu'il est indirectement impliqué par l'énoncé (ex. 2). L'un et l'autre supposent une double définition de la langue : l'argument explicite s'inscrit dans le cadre de la langue comme instrument de communication, l'argument implicite comme instrument de dissimulation. Ainsi un argument explicite peut-il dégager un argument implicite, le second étant secrètement inclus dans le premier. L'argument implicite se signale généralement à l'attention du lecteur par un terme grammatical qui dégage un présupposé (ex. 2), c'est-à-dire un sous-entendu chargé de sens.

Un énoncé échappe rarement à l'argumentation implicite, laquelle vise à influencer le lecteur à son insu, à lui imposer, par le biais des automatismes de pensée, une opinion ou une idéologie.

Exemples

1. Je dis seulement qu'il y a sur cette terre des fléaux et des victimes et qu'il faut, autant qu'il est possible, refuser d'être avec le fléau. Cela vous paraîtra peut-être un peu simple, et je ne sais si cela est simple, mais je sais que cela est vrai. J'ai entendu tant de raisonnements qui ont failli me tourner la tête, et qui ont tourné suffisamment d'autres têtes pour les faire consentir à l'assassinat, que j'ai compris que tout le malheur des hommes venait de ce qu'ils ne tenaient pas un langage clair. J'ai pris le parti alors de parler et d'agir clairement, pour me mettre sur le bon chemin. Par conséquent, je dis qu'il y a les fléaux et les victimes, et rien de plus. Si, disant cela, je deviens fléau moi-même, du moins, je n'y suis pas consentant. J'essaie d'être un meurtrier innocent. Vous voyez que ce n'est pas une grande ambition. (Albert Camus, *la Peste*.)

2. Aladin, qui n'était plus retenu par la crainte d'une perte et qui se souciait si peu de sa mère qu'il avait <u>même</u> la hardiesse de la menacer, à la moindre remontrance qu'elle lui faisait, s'abandonna alors à un plein libertinage. Il fréquentait de plus en plus les enfants de son âge et ne cessait de jouer avec eux avec plus de passion qu'auparavant. Il continua ce train de vie jusqu'à l'âge de quinze ans, <u>sans</u> aucune ouverture d'esprit pour quoi que ce soit, et <u>sans</u> faire réflexion à ce qu'il pourrait devenir un jour. Il était dans cette situation, lorsqu'un jour qu'il jouait au milieu d'une place avec une troupe de vagabonds, selon sa coutume, un étranger, qui passait par cette place, s'arrêta à le regarder. (*Les Mille et Une Nuits*, trad. d'Antoine Galland.)

Commentaire

L'argument explicite a une valeur démonstrative et scientifique. Clarté et précision sont attachées à sa forme. À l'inverse, l'argument implicite, par sa clandestinité, introduit dans un texte profondeur et mystère. Il traduit souvent un jugement moral.

article *nom masc.*

◆ article défini

Parmi toutes les catégories d'articles existant dans la langue française, l'article défini est celui qui détermine le nom avec le plus de précision. Dans cette fonction, il se rapproche parfois de l'adjectif possessif ou démonstratif (ex. 1). On le trouve quelquefois devant un nom propre (ex. 2 et 3).

Exemples

1. Quand notre ouvrage fut achevé, nous transportâmes <u>la</u> beauté dans son lit d'argile. Hélas, j'avais espéré de préparer une autre couche pour elle! (François René de Chateaubriand, *Atala*.)
2. Et, furieux, il se précipite à la poursuite de <u>la</u> Goualeuse. (Eugène Sue, *les Mystères de Paris*.)
3. <u>La</u> Callas.

Commentaire

L'article défini individualise et isole le nom. Ce faisant, il lui donne un relief particulier, surtout quand il s'agit d'un terme abstrait. Devant un nom propre, il prend une connotation familière (ex. 2) ou, au contraire, emphatique (ex. 3).

◆ article indéfini

L'article indéfini est un déterminant du nom commun. Son rôle est essentiellement grammatical. On le trouve quelquefois devant un nom propre.

Exemples

1. Je fais souvent ce rêve étrange et pénétrant
   <u>D'une</u> femme inconnue, et que j'aime et qui m'aime,
   Et qui n'est, chaque fois, ni tout à fait la même.
   Ni tout à fait une autre, et m'aime et me comprend.
   (Paul Verlaine, *Poèmes saturniens*, «Mon rêve familier».)
2. Moi, «les Fruits d'or», j'ai trouvé ça <u>d'un</u> drôle... J'ai ri. (Nathalie Sarraute, *les Fruits d'or*.)
3. Cela n'empêche pas qu'il est insupportable d'être commandé par UN Coquereau, UN Jean-Jean, UN Moulins, UN Focart, UN Bouju, UN Chouppe! (Victor Hugo, *Quatrevingt-Treize*.)

Commentaire

L'article indéfini passe souvent inaperçu en raison même de son imprécision. Dans certains cas, ce flou peut projeter une lueur mystérieuse sur la phrase (ex. 1). Devant un nom commun ou un adjectif employé comme nom, il produit un effet d'emphase (ex. 2). Devant un nom propre, il a une valeur méprisante ou laudative, selon le cas (ex. 3).

◆ absence d'article

En français moderne, le nom est toujours précédé d'un déterminant. Aussi l'absence d'article répond-elle au choix stylistique d'un auteur. On notera toutefois qu'elle apparaît principalement dans les descriptions et dans les énumérations.

Exemples

1. Il dit: «Je n'aime pas les femmes. L'amour est à réinventer, on le sait. Elles ne peuvent plus que vouloir une position assurée. La position gagnée, <u>cœur</u> et <u>beauté</u> sont mis de côté: il ne reste que <u>froid dédain</u>, l'aliment du mariage, aujourd'hui.» (Arthur Rimbaud, *Une saison en enfer*, «Délires».)

2. Il avait pitié d'une mère méchante pour les petits enfants. — Il s'en allait avec des gentillesses de petite fille au catéchisme. — Il feignait d'être éclairé sur tout, <u>commerce</u>, <u>art</u>, <u>médecine</u>. — Je le suivais, il le faut! (Arthur Rimbaud, *Une saison en enfer*, «Délires».)

Commentaire

L'absence d'article tend à transformer un nom abstrait en allégorie (ex. 1). Dans la description et l'énumération, elle renforce la signification du nom tout en raccourcissant le rythme de la phrase (ex. 2).

→ DÉTERMINANT.

articulateur   *nom masc.*

Mot de liaison qui souligne dans un texte le passage d'une idée à une autre ou d'un paragraphe au suivant.
L'articulation peut être de type chronologique *(d'abord, ensuite, enfin...)* ou logique *(d'ailleurs, en effet, mais...)*.

Exemple

<u>Mais</u> non, nous avons tout le temps. Il n'est que moins dix, nous ne mettrons pas dix minutes pour aller au parc Monceau. <u>Et puis</u> enfin, qu'est-ce que vous voulez, il serait huit heures et demie, ils patienteront, vous ne pouvez pourtant pas aller avec une robe rouge et des souliers noirs. <u>D'ailleurs</u>, nous ne serons pas les derniers, allez, il y a les Sassenage, vous savez qu'ils n'arrivent jamais avant neuf heures moins vingt. (Marcel Proust, *le Côté de Guermantes*.)

Commentaire

L'articulateur assure la cohérence d'une pensée en traduisant explicitement le rapport qui régit les parties successives du discours.

→ COHÉRENCE, CONJONCTION, COORDINATION, DISJONCTION.

aspect *nom masc.*

L'aspect désigne la manière dont une action s'accomplit. La valeur d'aspect d'un temps est indépendante de sa valeur temporelle ; elle s'y superpose.

Exemples

1. Nous <u>entrons</u> dans un gourbi, un café paraît-il. Vingt marchands nous y <u>pressent</u>. (Albert Londres, *Pêcheurs de perles.*)

2. Une dernière rumeur <u>monta</u> du «Bonheur des dames», l'acclamation lointaine d'une foule. Le portrait de madame Hédouin <u>souriait</u> toujours de ses lèvres peintes. Mouret <u>était tombé</u> assis sur le bureau, dans le million qu'il ne voyait plus. (Émile Zola, *Au bonheur des dames.*)

Commentaire

Le présent de narration permet de rendre plus vivante une action passée (ex. 1). L'imparfait insiste sur la durée, la répétition d'une action passée, considérée comme inachevée. Le passé simple permet de noter une action ponctuelle ou achevée dans le passé. Les temps composés (ici, le plus-que-parfait) insistent sur les résultats présents d'actions passées (ex. 2). [Voir aussi la table d'orientation, *temps*.]

assertion *nom fém.*

On nomme ainsi une proposition dont on défend le contenu, présenté comme juste en toute circonstance.

Exemple

Il n'y a pas de dignité qui ne se fonde sur la douleur. (André Malraux, *la Condition humaine.*)

Commentaire

La phrase assertive, appelée aussi *déclarative* ou *énonciatrice*, permet de communiquer une information à autrui avec la force de la conviction. Elle n'est pas démonstrative : elle établit un fait, défend une valeur, sans discussion.

→ ADAGE, APOPHTEGME, DIDACTIQUE (style), MODALITÉS LOGIQUES, PROVERBE.

assonance *nom fém.*

Répétition d'une même voyelle dans une phrase ou un vers. Il est des assonances remarquables qui portent sur la rime ou la césure (rime léonine).

Exemples

1. Garde ton âme ouverte aux parfums d'alentour.
   (Anna de Noailles, *le Cœur innombrable,* «Respire ta jeunesse».)
2. Comme un lièvre sans os qui dort dans un pâté
   (Saint-Amant, *Sonnets.*)
3. J'écris sur nouveaux frais. Je produis, je fournis,
   De Dits, de Contredits, Enquêtes, Compulsoires
   (Jean Racine, *les Plaideurs*, acte I, sc. 7.)

Commentaire

L'assonance, souvent assimilée à une rime intérieure, permet, lorsqu'elle est voulue, de renforcer le sens de la phrase. Certains sons en accentuent la gravité (ex. 1), d'autres la nonchalance (ex. 2); d'autres enfin servent l'ironie de l'auteur (ex. 3). L'assonance réussie conduit à l'harmonie imitative.

→ HARMONIE IMITATIVE, HOMÉOTÉLEUTE, PARONOMASE.

astéisme *nom masc.*

Figure de style qui consiste à faire un compliment (ex. 1) ou à adresser une flatterie (ex. 2) sous forme de blâme.

Exemples

1. Eh bien! madame, puisqu'il faut dire les gros mots, que ferez-vous avec votre esprit et vos grâces, si Votre Altesse n'a pas une demi-douzaine de gens de mérite pour sentir le vôtre ? (Voltaire, *Lettre au margrave de Bayreuth.*)
2. Grand roi, cesse de vaincre, ou je cesse d'écrire.
   Encore si ta valeur à tout vaincre obstinée,
   Nous laissait pour le moins respirer une année!...
   (Nicolas Boileau, *Épîtres à Louis XIV.*)

Commentaire

Figure du double langage, l'astéisme confère au discours un ton affecté qui sert parfaitement les intentions galantes ou flatteuses des courtisans de toutes sortes.

→ ALLUSION, IRONIE.

asyndète *nom fém.*

Juxtaposition de deux expressions ou de deux propositions, obtenue par l'ellipse de la conjonction de coordination *(mais, et, or...)* ou de subordination *(bien que, tandis que...).*
Une asyndète est appelée *adversative* si elle marque l'opposition.

Exemples

1. Nous qui marchions fourbus, blessés, crottés, malades (Edmond Rostand, *l'Aiglon,* acte II, sc. 9.)
2. La Silésie avait été conquise par les armes, la Pologne fut une conquête machiavélique. (Madame de Staël, *De l'Allemagne.*)

Commentaire

L'asyndète permet de donner plus de rapidité et d'énergie à la phrase. Elle met en relief les énumérations (ex. 1) ou les oppositions dont le rapport logique est implicite (ex. 2).

→ ACCUMULATION, ADJONCTION, AMPLIFICATION, DISJONCTION.

atténuation   *nom fém.*

Procédé par lequel on tempère une idée en l'exprimant indirectement, au moyen d'un terme faible ou allusif.

L'atténuation traduit souvent un souci des convenances ou une mentalité superstitieuse qui n'est pas sans rappeler le *tabou* des sociétés primitives où les mots d'origine religieuse sont interdits.

Exemple

1. Mal-entendant (= sourd).
2. Il est parti (= il est mort).
3. Longue maladie (= cancer).

Commentaire

L'atténuation de l'expression peut aboutir à un renforcement du sens. L'économie du mot traduit, par inversion, la puissance de l'idée.

→ EUPHÉMISME, LITOTE.

autonymie   *nom fém.*

Procédé par lequel un nom se désigne lui-même dans une phrase.

L'autonymie est créée par la mention d'un mot. Elle se marque souvent par des guillemets ou le soulignage.

Exemples

1. Tu piqueras des <u>peut-être</u> aux ailes de tous tes projets. (Georges Duhamel, *les Plaisirs et les Jeux*.)
2. S'il est normal de tutoyer, ou du moins de vouvoyer, un interlocuteur, il est fréquent pourtant que le <u>tu</u> disparaisse du discours. La plupart des publications scientifiques s'en passent, comme du <u>je</u> qui se cache derrière l'objectivité de la science. (Le groupe μ, *Rhétorique générale*.)

Commentaire

L'autonymie détourne le mot employé de sa valeur d'usage, de son sens lexical. Elle attire l'attention du lecteur par une graphie ou un traitement typographique particuliers, par l'accent tonique qui lui est attribué d'emblée.

→ NÉOLOGISME.

avoir *(verbe)*

Lorsqu'il ne sert pas d'auxiliaire dans la formation d'un temps composé, le verbe *avoir* est un mot de sens faible dont le rôle essentiel est d'assurer la fonction verbale dans la phrase. Il peut néanmoins se présenter comme le synonyme du verbe *posséder*.

Exemple

Regarde-la bien : elle a trois pompons rouges et un drapeau à frange d'or. (Jules Renard, *Poil de carotte*.)

Commentaire

En raison de son sémantisme discret, le verbe *avoir* s'efface dans la phrase au profit du groupe nominal ainsi mis en valeur. Généralement, il n'exprime l'idée de possession que de façon atténuée.

→ ÊTRE.

axiome *nom masc.*

Idée admise par tout le monde comme une évidence, comme une loi naturelle.

Exemple

Au moment où il allait boire, son œil tomba sur la petite fille. Il remit le pot sur le poêle, prit la fiole, la déboucha, y vida ce qui restait de lait, juste assez pour l'emploi, replaça l'éponge, et reficela le linge sur l'éponge autour du goulot.
— J'ai tout de même faim et soif, reprit-il.
Et il ajouta :
— Quand on ne peut pas manger du pain, on boit de l'eau.
(Victor Hugo, *l'Homme qui rit*.)

Commentaire

L'axiome, qui s'énonce comme une loi scientifique, ferme la voie à l'imagination et à l'interprétation. Il traduit le monde tel qu'il est, de manière inflexible.

→ ADAGE, PROVERBE.

banalité *nom fém.*

On désigne par *banalité* un terme ou un discours dépourvu d'originalité, de personnalité, autrement dit une platitude.

« Le duc de Réveillon parlait peu dans le monde. Et encore en parlant répétait-il plutôt une de ces banalités, un de ces lieux communs impersonnels, comme un usage auquel on se conforme, et qui ne pouvait passer pour l'expression individuelle de sa pensée particulière. » (Marcel Proust, *Jean Santeuil.*)

Exemple

— Quoi de neuf ? m'a-t-il dit. Vous êtes sur la Côte d'Azur ?
J'ai voulu le mettre à l'aise :
— C'est drôle... Je vous ai vu l'autre jour sur la promenade des Anglais...
— Vous auriez dû me dire bonjour.
Sa silhouette massive, le long de la promenade, et ce sac de cuir en bandoulière qu'arborent certains hommes, vers cinquante ans, avec des vestes trop cintrées, dans le but de garder une silhouette juvénile...
— Je travaille depuis quelque temps dans la région... J'essaie d'écouler des stocks de vêtements de cuir...
— Ça marche ?
— Comme ci, comme ça. Et vous ?
— Moi aussi je travaille dans la région, lui ai-je dit.
Rien d'intéressant...
(Patrick Modiano, *Dimanches d'août.*)

Commentaire

Involontaire, la banalité provoque un effet de pauvreté et traduit la stérilité de la pensée. Volontaire, elle apparaît comme le masque d'une pensée qui tient à rester secrète : elle peut alors produire un effet d'affectation. Lorsqu'elle répond à un conformisme de commande, elle devient provocante.

→ CLICHÉ, GÉNÉRALITÉ, LIEU COMMUN.

barbarisme *nom masc.*

Faute grossière de langage, le barbarisme est l'emploi d'un mot pour un autre ou la déformation d'un mot.

Exemples

1. Une brise délicieuse, <u>transportatrice</u> d'une bonne odeur de tourbe, vint rafraîchir mon front. (Raymond Queneau, *les Œuvres complètes de Sally Mara*.)

2. Les massifs d'arbres, de place en place, <u>saillissaient</u> comme des rochers noirs. (Gustave Flaubert, *Madame Bovary*.)

Commentaire

Le barbarisme, unanimement condamné par les puristes, constitue une faute grave contre la langue. Mais, comme toute déviation de discours, il peut produire une image visuelle ou sonore inattendue et non dépourvue de charme.

→ IMPROPRIÉTÉ.

baroque (style)

Ce mouvement artistique, qui s'épanouit entre 1580 et 1665, privilégia la luxuriance des sensations, la mobilité de toute forme, une esthétique du mouvement, de la métamorphose, de l'illusion et de l'instabilité.

En opposition avec les règles rigides du classicisme, le baroque multiplia les audaces dans le choix de ses images, dans la liberté de ses idées. Multiple au sein d'une nature changeante, installé entre le rêve et la réalité, entre la vie et la mort, l'homme baroque bouleverse les ordres établis, choque les esprits conventionnels.

Exemples

1. Est-il rien de plus vain qu'un songe mensonger,
   Un songe passager, vagabond et muable ?
   (Jean-Baptiste Chassignet, *Un songe passager*.)

2. Il aime à voir nager les coulantes images
   Des arbres, des troupeaux, des oyseaux, des nuages.
   (Pierre Le Moyne, *les Eaux miroitantes*.)

3. Fumiers couverts de neige, amyntes précieuses,
   Des sépulcres blanchis figures spécieuses,
   Pour qui conservez-vous ce visage blafard,
   Que vous tenez caché sous l'écorce du fard ?
   (Pierre de Saint-Louis, *le Fard*.)

4. Il me plaist de rêver, songer, imaginer
   Les ans que je regrette,

Et sur tout la saison, qui viendra me tourner
En un hydeux squelette.
(Simplicien Goddy, *Honnestes Poésies*.)

Commentaire

Le baroque peut séduire par la beauté de ses images (ex. 2), déranger par son mauvais goût provocant (ex. 3, 4). L'esthétique baroque suscite chez le lecteur des réactions tranchées : on l'adore ou on la déteste.

binaire (rythme)

Un rythme est dit *binaire* lorsqu'il propose le retour régulier de deux éléments de même longueur.

Exemples

1. Mon enfant, ma sœur,
   Songe à la douceur
   D'aller là-bas, vivre ensemble !
   <u>Aimer</u> à <u>loisir</u>,
   <u>Aimer</u> et <u>mourir</u>
   Au pays qui te ressemble !
   (Charles Baudelaire, *les Fleurs du mal*, « Spleen et Idéal ».)
2. Un grand cri s'éleva, domina *la Marseillaise* : « <u>Du pain</u> ! <u>du pain</u> ! <u>du pain</u> ! » (Émile Zola, *Germinal*.)

Commentaire

Le rythme binaire, qui correspond à un nombre pair, produit dans le vers ou la phrase un effet de symétrie simulant l'équilibre parfait. Par son mouvement alternatif, il crée également un balancement à valeur poétique (ex. 1) ou une oscillation à valeur dramatique (ex. 2).

→ RYTHME, TERNAIRE.

blanc *nom masc.*

On désigne ainsi, dans la mise en page, chacun des intervalles, des espaces libres qui favorisent la lisibilité d'un texte.
Dans la prose, les blancs soulignent l'amorce d'un nouveau paragraphe ou signalent un extrait de dialogue, tandis qu'en poésie, ils peuvent soit signaler le passage d'une strophe à l'autre, soit répondre à une intention particulière de l'auteur.

Exemple

Blanc   bleu
blanc dans le bleu

pâle et blanc dans le bleu

Bleu pâle je dors bleu pâle je veille
Bleu de soleil, je suis je vis.
(Jean Tardieu, *Comme ceci, comme cela.*)

Commentaire

Les blancs soulignent le rythme interne d'un texte. Ils créent un effet d'aération, de suspension ou de dispersion à la fois visuel et sémantique. À l'intérieur d'un vers, ils ont un caractère insolite et révolutionnaire.

→ PARAGRAPHE.

blancs (vers)

Les vers blancs sont des vers non rimés.

Exemple

Prenez un toit de vieilles tuiles
Un peu avant midi.
Placez tout à côté
Un tilleul déjà grand
Remué par le vent.
Mettez au-dessus d'eux
Un ciel bleu, lavé
Par des nuages blancs.
Laissez-les faire.
Regardez-les.
(Eugène Guillevic, *Avec.*)

Commentaire

Le vers blanc est surtout utilisé en poésie contemporaine. Supprimant le retour homophonique de la rime, il privilégie le rythme, les assonances et les allitérations. Il offre au poète une grande liberté d'expression. (Voir aussi la table d'orientation, *versification*.)

→ LIBRE (vers).

brachylogie   *nom fém.*

Emploi d'une formulation courte, dont le sens équivaut à une formulation plus longue. Pour certains linguistes, c'est une espèce particulière d'ellipse.

Exemple

Dites tout de suite à la femme de chambre de Mme la Duchesse de descendre des souliers rouges. (Marcel Proust, *le Côté de Guermantes.*)

Commentaire

La brachylogie permet d'accélérer la phrase et de l'alléger. Dans l'exemple précédent, Proust aurait pu écrire : « ... qu'elle descende des souliers rouges ».

→ ELLIPSE.

burlesque (style)

À l'origine, on a désigné par le terme de *burlesque* un genre littéraire qui fut à la mode de 1640 à 1660. Parodie de l'épopée, genre noble par excellence, il dénaturait, par un comique grossier, des personnages et des situations héroïques.

Le genre burlesque a laissé place à ce qu'il est convenu aujourd'hui d'appeler le *style burlesque*, qui s'illustre, dans un texte, par un comique extravagant.

Exemple

PÈRE UBU. — Apportez la caisse à Nobles et le crochet à Nobles et le couteau à Nobles et le bouquin à Nobles ! Ensuite faites avancer les Nobles. *(On pousse brutalement les Nobles.)*
MÈRE UBU. — De grâce, modère-toi, Père Ubu.
PÈRE UBU. — J'ai l'honneur de vous annoncer que pour enrichir le royaume je vais faire périr tous les Nobles et prendre leurs biens.
(Alfred Jarry, *Ubu roi*, acte III, sc. 2.)

Commentaire

Le style burlesque produit des effets de contraste violent entre la matière (élevée) et la manière (caricaturale). Il répond souvent à une volonté satirique.

C

ça *pronom démonstratif*

Le pronom démonstratif *ça* est la forme contractée du pronom *cela*. Le premier prédomine dans la langue parlée, le second dans la langue écrite.

Ça peut désigner une personne (ex. 1), un être ou une chose mal définis (ex. 2). Il arrive que cette forme remplace un pronom impersonnel (ex. 3).

Exemples

1. Ces sales ouvriers ont encore choisi un jour où j'ai du monde. Allez donc faire du bien à ça! (Émile Zola, *Germinal*.)
2. Ça avait glissé dans mes jambes, ça avait frôlé mes mollets, et c'étaient des vipères. (Antoine de Saint-Exupéry, *Terre des hommes*.)
3. Ça va pleuvoir.

Commentaire

Ça ne désigne une personne qu'avec une connotation extrêmement péjorative. Dans un emploi indéfini ou impersonnel, *ça* souligne généralement le caractère énigmatique d'une pensée ou le flou d'une image.

cacophonie *nom fém.*

Retour à intervalles plus ou moins réguliers de sons semblables et déplaisants. On rencontre des mots cacophoniques au même titre que des expressions ou des propositions.

Exemples

1. Un parallélépipède, un tohu-bohu...
2. Un cou court. Je veux et j'exige (exercice de diction).
3. Non, il n'est rien que Nanine n'honore. (Voltaire, *Nanine*, acte III, sc. 8.)

Commentaire

La cacophonie est parfois difficile à déterminer, tant les goûts phoniques des lecteurs sont divers. Lorsqu'elle est indiscutable, elle dénote chez le scripteur une négligence, voire une maladresse. Il est cependant des cacophonies voulues qui sont humoristiques.

→ JEU DE MOTS.

cadence *nom fém.*

Ce terme, surtout utilisé en poésie, désigne le rythme obtenu par les coupes et les accents toniques, la mise en relief due à l'accentuation et aux intonations.

Exemple

Enfin Malherbe vint, et, le premier en France,
Fit sentir dans les vers une juste cadence.
(Nicolas Boileau, *Art poétique*.)

Commentaire

Dans les deux alexandrins ci-dessus, la cadence permet de mettre en relief les mots *Malherbe, vint, premier, France, sentir, vers, juste, cadence*. Il en résulte une harmonie quasi musicale, qui renforce le sens de la phrase ou du vers.

→ ACCENT D'INTENSITÉ, ALEXANDRIN, CÉSURE, CLAUSULE, RYTHME DU VERS.

calembour *nom masc.*

Les calembours sont des jeux sur les sons. On peut en créer de trois sortes :
— en ajoutant ou en supprimant des sons (ex. 1);
— en jouant sur le découpage sémantique des mots (ex. 2);
— en travaillant sur l'homonymie (ex. 3) ou l'homographie (ex. 4).

Exemples

1. Un poème de Léon-Paul Fargue est intitulé Merdrigal (au lieu de Madrigal). Il l'offre en dédicrasse (et non en dédicace).
2. La mère Michel/l'amer Michel. Son Altesse Yan Amar de Stevie.
3. Va-t'en porter ma lettre aux fleurs à tire d'elle. (Robert Desnos.)
4. Le garçon de café. — C'est pour qui la bière ?
   Le client. — C'est pour le mort !

Commentaire

Le calembour provoque l'hilarité de l'auditoire. Il permet au scripteur ou au locuteur de briller, par sa maîtrise des mots et des sons. Il peut également traduire certains rapports cachés des mots entre eux ainsi que les intentions humoristiques ou cyniques de leur auteur.

→ COMIQUE DE MOTS.

caricature *nom fém.*

Description ou portrait qui accentue volontairement certains traits ridicules ou déplaisants sélectionnés avec soin, dans l'intention de tourner en dérision.

«Une caricature, pour être bonne, doit contenir les traits réels du modèle, déviés et accentués dans le sens ridicule, mais faciles à reconnaître.» (Théophile Gautier.)

Exemple

Oui!... Je le vois en photo... ces gros yeux... ce crochet... cette ventouse baveuse... C'est un cestode! Que n'inventerait-il pas, le monstre, pour qu'on m'assassine! (Louis-Ferdinand Céline, *À l'agité du bocal.*)

Commentaire

Dérision et comique sont attachés à la caricature qui, dans certains cas, peut prendre une valeur satirique et combative.

→ PARODIE, SATIRIQUE (style).

catachrèse *nom fém.*

Cette figure de rhétorique est une sorte de métaphore. Elle consiste à détourner un mot de son sens propre. Souvent, les catachrèses sont entrées dans l'usage, au point qu'on ne les identifie plus guère comme des métaphores.

Exemples

1. On retrouve le <u>fil</u> des jours comme on l'a laissé à traîner par ici, poisseux, précaire. (Louis-Ferdinand Céline, *Voyage au bout de la nuit.*)
2. Les <u>ailes</u> d'un moulin, le <u>pied</u> d'une montagne.

Commentaire

La catachrèse est trop banalisée pour provoquer un véritable effet de style. Elle image la phrase, la rend plus concrète. Elle est souvent voisine du cliché.

→ CLICHÉ, CONNOTATION, DÉNOTATION, MÉTAPHORE.

c'est

Le groupe verbal *c'est*, placé devant un adjectif, un pronom, un nom ou un groupe de noms, joue le rôle d'un présentatif (ex. 1) à valeur démonstrative. Mais il a également la fonction de représentation lorsqu'il reprend, sous une forme appuyée, un mot, un groupe de mots ou une phrase qui le précède (ex. 2).

Exemples

1. <u>C'est</u> l'extase langoureuse,
   <u>C'est</u> la fatigue amoureuse,
   <u>C'est</u> tous les frissons des bois
   Parmi l'étreinte des brises,
   <u>C'est</u>, vers les ramures grises,
   Le chœur des petites voix.
   (Paul Verlaine, *Romances sans paroles,* «Ariettes oubliées».)

2. Non, la liberté, descendue du ciel, ce n'est point une nymphe de l'Opéra, ce n'est point un bonnet rouge, une chemise sale ou des haillons. La liberté, <u>c'est</u> le bonheur, <u>c'est</u> la raison, <u>c'est</u> l'égalité, <u>c'est</u> la justice, <u>c'est</u> la déclaration des droits, <u>c'est</u> votre sublime Constitution!
   (Camille Desmoulins, *le Vieux Cordelier*, 1793.)

Commentaire

L'utilisation du présentatif *c'est* est un procédé de mise en valeur qui souligne le sens d'un mot en retardant son arrivée dans la phrase ou dans le vers.

césure   *nom fém.*

Étymologiquement, la césure est une coupure. Elle divise le vers en deux demi-vers, aussi appelés *hémistiches*. Ainsi, dans l'alexandrin classique, la césure intervient après la sixième syllabe.

Exemple

Et la mer et l'amour / ont l'amer pour partage,
Et la mer est amère,/ et l'amour est amer,
L'on s'abîme en l'amour / aussi bien qu'en la mer
Car la mer et l'amour / ne sont point sans orage.
(Pierre de Marbeuf, *Recueil de vers*.)

Commentaire

La césure, qui ne constitue pas un arrêt obligatoire de la voix, marque le temps fort du milieu du vers, renforçant ainsi son sens. Elle introduit dans le vers une régularité rythmique que l'oreille de l'auditeur attend.

→ ALEXANDRIN, HÉMISTICHE, LÉONIN, RYTHME DU VERS.

champ lexical

Ensemble des mots qui, dans un texte, permettent de développer et d'illustrer un thème, de présenter et de qualifier un être ou une chose.

Exemple

Le champ lexical de l'angoisse est développé dans le texte suivant, où l'on vient d'apprendre des cuisiniers que l'attaque est pour le lendemain. L'action se déroule durant la guerre de 1914-1918 :

Un bref <u>silence tomba</u> sur nous : juste le temps que <u>le cœur fasse toc-toc</u>.
Plusieurs ont <u>brusquement pâli</u>... (Roland Dorgelès, *les Croix de bois*.)

Commentaire

Un champ lexical très fourni dans un texte donné permet de traduire avec richesse et subtilité une émotion, une idée, une perception. Plusieurs champs lexicaux peuvent se croiser et se compléter dans un même texte.

cheville   *nom fém.*

En versification, on appelle *cheville* un terme employé dans un vers dans le seul but de le remplir, d'assurer la rime ou la mesure. C'est une expression inutile, voire redondante.

Exemple

Votre prudence est endormie,
De traiter magnifiquement
Et de loger superbement
Votre plus cruelle ennemie.
Faites-la sortir, quoi qu'on die,
De votre riche appartement,
Où cette ingrate insolemment
Attaque votre belle vie.
(Molière, *les Femmes savantes*, acte III, sc. 2.)

Commentaire

De nombreuses chevilles émaillent le poème de Trissotin : les adverbes en *-ment*, le fameux *quoi qu'on die, belle*... La cheville a un effet désastreux partout où on la repère. Elle discrédite les écrivains qui y ont recours. À propos d'un vers de Corneille, voici ce qu'écrit Voltaire (« Commentaires sur Corneille », *Othon*, I, 1) : « *À la face des dieux* est ce qu'on appelle une cheville ; il ne s'agit point ici de dieux et d'autels ; ces malheureux hémistiches qui ne disent rien parce qu'ils semblent en trop dire n'ont été que trop souvent imités. » (Voir aussi la table d'orientation, *versification*.)

→ CLICHÉ, REDONDANCE.

chiasme   *nom masc.*

Figure de rhétorique composée de deux ensembles dans lesquels les mots sont inversés (ex. 1).

On appelle également *chiasme* la simple interversion de mots (ex. 2).

Exemples

1. Leur origine est très diverse, divers aussi leurs buts et leur financement. (Jean-Paul Sartre, *Situations*, t. VII.)
2. Il faut manger pour vivre et non pas vivre pour manger. (Molière, *l'Avare*, acte III, sc. 1.)

Commentaire

Le chiasme permet de mettre en valeur des parallélismes ou des oppositions, par le simple choix de la place des mots.

chiffre *nom masc.*

Les chiffres apparaissent rarement dans un texte de littérature, si ce n'est pour indiquer les dates, les heures, les références de pages, les numéros d'immeubles et les nombres.
Utilisés dans d'autres circonstances, ils produisent des effets particuliers qu'il convient d'analyser.

Exemple

— Votre ironie m'irrite, Ing 3. Veuillez faire silence et me laisser réfléchir.
Ing 3 sourit largement.
— Vous n'êtes pas en état de réfléchir.
Capt 4 affecta un calme olympien pour masquer son irritation.
(Stefan Wul, *Niourk*.)

Commentaire

L'utilisation des chiffres dans la prose littéraire donne au texte une coloration scientifique, une dimension abstraite qui conviennent particulièrement au fantastique et à la science-fiction.

chose *nom fém.*

Le nom *chose* désigne souvent un objet concret, indéterminé ou non. Il est généralement utilisé pour pallier l'ignorance d'un nom plus précis.

Exemples

1. On entendit cette chose énorme, le sanglot d'une armée. (Victor Hugo, *Quatrevingt-Treize*.)
2. Les choses que dit un enfant ne sont pas pour lui ce qu'elles sont pour nous; il n'y joint pas les mêmes idées. (Jean-Jacques Rousseau, *Émile*.)
3. «Monsieur, monsieur, vous oubliez votre journal!»
   Et Duroy répondit:

«Je vous le laisse, je l'ai lu. Il y a d'ailleurs aujourd'hui, dedans, une chose très intéressante.»

Il ne désigna pas la chose, mais il vit, en s'en allant, un de ses voisins prendre *la Vie française* sur la table où il l'avait laissée.

(Guy de Maupassant, *Bel-Ami*.)

Commentaire

Le mot *chose* crée souvent un effet d'imprécision et de flou dû à sa nature indéterminée. Il prend une valeur dramatique lorsqu'il retarde l'arrivée d'un complément (ex. 1).

chute *nom fém.*

Ce terme de versification désigne le dernier vers d'un sonnet classique.

Exemple

Maintenant tu es vive, et je suis mort d'ennui.
Malheureux qui se fie en l'attente d'autrui !
Trois amis m'ont déçu: toi, l'Amour, et le monde.

(Pierre de Ronsard, *Sur la mort de Marie*.)

Commentaire

La chute permet de mettre en valeur l'idée principale du poème, par sa position, par l'attente du lecteur. Le vers de chute est souvent spirituel.

→ CLAUSULE.

citation *nom fém.*

Mention d'une parole attribuée à un auteur ou à un personnage célèbre.

La citation peut être directe ou indirecte. Elle est généralement mise entre guillemets.

Exemple

Le prince, transporté de bonheur, voulait ce soir-là destituer avec scandale le ministre Rassi. La duchesse lui dit en riant:

— Savez-vous un mot de Napoléon ? Un homme placé dans un lieu élevé, et que tout le monde regarde, ne doit point se permettre de mouvements violents. Mais ce soir il est trop tard, renvoyons les affaires à demain.

(Stendhal, *la Chartreuse de Parme*.)

Commentaire

Une citation illustre, authentifie et consolide une idée ou une pensée anonyme.

classique (langue)

La langue classique est en premier lieu la langue des auteurs du XVIIe siècle, celle qui, par sa précision, sa rigueur, son respect des règles, fera autorité dans les siècles suivants et sera citée comme référence par les spécialistes de la langue française.

Mais l'expression *langue classique* prendra, sous la plume des romantiques, une connotation péjorative, qu'elle garde parfois aujourd'hui, pour désigner un style excessivement austère.

Exemple

Hippolyte aime, et je n'en puis douter.
Ce farouche ennemi qu'on ne pouvait dompter,
Qu'offensait le respect, qu'importunait la plainte,
Ce tigre, que jamais je n'abordai sans crainte,
Soumis, apprivoisé, reconnaît un vainqueur:
Aricie a trouvé le chemin de son cœur.
(Jean Racine, *Phèdre*, acte IV, sc. 6.)

Commentaire

La langue classique, en associant la netteté à la richesse, produit un effet de densité et d'éclat. Elle fixe idéalement le sens du vers ou de la phrase.

clausule *nom fém.*

Les discours des Anciens étaient souvent terminés par une clausule, c'est-à-dire une phrase rythmée rappelant la poésie. En français, la clausule désigne une chute de paragraphe particulièrement rythmée, évoquant l'alexandrin ou d'autres vers français, comme l'hexamètre dans l'exemple ci-dessous.

Exemple

Pour les vaincre, messieurs, il nous faut de l'audace, encore de l'audace, toujours de l'audace, et la France est sauvée. (Georges-Jacques Danton, Convention nationale, 2 septembre 1792.)

Commentaire

Dans cet extrait emprunté à un discours fort célèbre de l'orateur révolutionnaire, l'énoncé se clôt sur un rythme connu, qui apporte une impulsion renouvelée à la pensée. La phrase, longue, s'allège grâce à la clausule, et devient pleinement lyrique. (Voir aussi la table d'orientation, *rythme*.)

→ ALEXANDRIN, CHUTE.

clean (style)

Ce terme de franglais s'applique à un style net et dépouillé, sans surcharge. On emploie d'ordinaire ce mot pour l'architecture, l'habillement... Par extension, il peut aussi qualifier un certain type de littérature contemporaine.

Exemple

Je me suis approché de la fenêtre. Je collais presque mon front à la vitre. En bas, devant la bâtisse blanche, il y avait une esplanade recouverte de gravier et où la mauvaise herbe perçait déjà. (Patrick Modiano, *Rue des boutiques obscures.*)

Commentaire

Le style clean est informatif. Il vise l'élégance à travers la simplicité de l'expression.

cliché *nom masc.*

Image conventionnelle, usée à force d'avoir servi.

Exemple

Et avec quoi voulez-vous donc que je vive ? Je n'ai que des souvenirs, moi. C'est mon bonheur, <u>mon trésor</u>, mon espérance. Chaque fois que je vous vois, <u>c'est un diamant de plus que je renferme dans l'écrin de mon cœur</u>. (Alexandre Dumas, *les Trois Mousquetaires.*)

Commentaire

Le cliché, même s'il peut prêter à sourire, possède une indiscutable valeur expressive. Emprunté à la culture populaire, il parle à la sensibilité d'un lecteur qui apprécie les conventions. Rassurant, parce qu'immuable, il déclenche des automatismes, réveille des stéréotypes qui traduisent une communauté de pensée et de représentation à l'intérieur d'un groupe social.

→ BANALITÉ, LIEU COMMUN.

cohérence *nom fém.*

On désigne par le mot *cohérence* la logique interne d'un texte dont les éléments doivent être unis entre eux par un lien à la fois sémantique et linguistique.

La cohérence d'un texte est assurée par l'agencement des idées entre elles et la correction grammaticale. L'ensemble doit former un tout harmonieux et intelligible.

Exemple

L'homme est né libre, et partout il est dans les fers. Tel se croit le maître des autres, qui ne laisse pas d'être plus esclave qu'eux. Comment ce changement s'est-il fait? Je l'ignore. Qu'est-ce qui peut le rendre légitime? Je crois pouvoir résoudre cette question.

Si je ne considérais que la force, et l'effet qui en dérive, je dirais: tant qu'un Peuple est contraint d'obéir et qu'il obéit, il fait bien; sitôt qu'il peut secouer le joug et qu'il le secoue, il fait encore mieux; car, recouvrant sa liberté par le même droit qui la lui a ravie, ou il est fondé à la reprendre, ou l'on ne l'était point à la lui ôter. Mais l'ordre social est un droit sacré, qui sert de base à tous les autres. Cependant ce droit ne vient point de la nature; il est donc fondé sur des conventions. Il s'agit de savoir quelles sont ces conventions. Avant d'en venir là je dois établir ce que je viens d'avancer.

(Jean-Jacques Rousseau, *Du contrat social*.)

Commentaire

De la cohérence d'un texte se dégage une impression d'unité, d'équilibre et de clarté. Lorsque cette cohérence est soulignée par des articulateurs qui renforcent sa logique, elle révèle un système de pensée inattaquable.

→ ARTICULATEUR.

comique de mots

Le comique de mots, que l'on rencontre surtout au théâtre, dans la comédie, a recours aux jeux de mots, aux répétitions, aux calembours.

Exemple

IRMA (*entrant et apportant le courrier*). — Madame, la poterne vient d'élimer le fourrage.
(*Elle tend le courrier à Madame, puis reste plantée devant elle, dans une attitude renfrognée et boudeuse.*)
MADAME (*prenant le courrier*). — C'est tronc!.... Sourcil bien!... (*Elle commence à examiner les lettres puis, s'apercevant qu'Irma est toujours là*): Eh bien, ma quille! Pourquoi serpez-vous là? (*geste de congédiement*) Vous pouvez vidanger!

(Jean Tardieu, *le Professeur Froeppel*.)

Commentaire

Multiplier les jeux de mots, les clins d'œil au lecteur ou à l'auditeur permet de créer un univers comique où les rapports habituels sont déplacés, où les mots déclenchent le rire ou le sourire.

→ CALEMBOUR, JEU DE MOTS.

commentaire *nom masc.*

Développement, réflexion qui s'organisent autour d'un texte ou d'une idée. Dans une page de roman, il est fréquent qu'un commentaire interrompe le récit, pour laisser le narrateur s'exprimer en son propre nom.

Exemple

Le lendemain, Rastignac s'habilla fort élégamment, et alla, vers trois heures de l'après-midi, chez Mme de Restaud en se livrant, pendant la route, à <u>ces espérances étourdiment folles qui rendent la vie des jeunes gens si belle d'émotions : ils ne calculent alors ni les obstacles ni les dangers, ils voient en tout le succès, poétisent leur existence par le seul jeu de leur imagination, et se font malheureux ou tristes par le renversement de projets qui ne vivaient encore que dans leurs désirs effrénés ; s'ils n'étaient pas ignorants et timides, le monde social serait impossible</u>. (Honoré de Balzac, *le Père Goriot*.)

Commentaire

Dans un roman, le commentaire introduit une complexité chronologique due au décalage entre le temps du récit et le temps de l'écriture. Ce recul crée un effet de rupture à valeur rythmique : la fiction provisoirement suspendue par le commentaire repart avec un souffle nouveau.

Quant au commentaire lui-même, il apparaît comme un prolongement théorique du récit : en ouvrant l'univers romanesque à la réflexion et à l'analyse, il agit comme un rappel à la réalité et authentifie l'imaginaire du récit.

→ MODALITÉS APPRÉCIATIVES, PARTICIPATION AFFECTIVE.

commination *nom fém.*

Figure de pensée qui permet d'exprimer une menace sans en formuler explicitement les modalités.

La véhémence des propos et des sanctions qui en découlent logiquement se trouve ainsi atténuée, masquée.

Exemple

Caligula rappelle aux sénateurs leurs devoirs d'obéissance.

CALIGULA. — À propos de justice, il faut nous dépêcher : une exécution m'attend. Ah ! Rufius a de la chance que je sois si prompt à avoir faim. *(Confidentiel.)* Rufius, c'est le chevalier qui doit mourir. *(Un temps.)* Vous ne me demandez pas pourquoi il doit mourir ?
(Silence général. Pendant ce temps, des esclaves ont apporté des vivres.)
(De bonne humeur.)

Allons, je vois que vous devenez intelligents. *(Il grignote une olive.)* Vous avez fini par comprendre qu'il n'est pas nécessaire d'avoir fait quelque chose pour mourir.
(Albert Camus, *Caligula*, acte II, sc. 5.)

Commentaire

Le style comminatoire tire sa force de l'implicite qu'il développe. Rien n'est dit clairement, tout signifie par ricochet. Il a plus d'impact que si la menace était formulée directement.

comparaison   *nom fém.*

Figure de style qui permet de souligner les similitudes entre les êtres ou les choses. On peut établir des comparaisons sur divers plans : l'aspect, l'ouïe, l'odeur, le goût, etc.

Exemple

Le homard, <u>compliqué comme une cathédrale</u>,
Sur un lit de persil, monstre rouge, apparaît.
(Charles Monselet, *Poésies complètes.*)

Commentaire

À la différence de la métaphore, la comparaison laisse subsister le sens des deux termes qu'elle rapproche. Elle donne deux éclairages d'une même réalité, ce qui peut parfois dérouter le lecteur, comme dans l'exemple ci-dessus. La comparaison enrichit notre vision du monde en révélant, par le système de l'association, des correspondances et des parentés entre les êtres et les choses. (Voir aussi la table d'orientation.)

comparatif   *nom masc.*

Système de comparaison marquant l'égalité, l'infériorité ou la supériorité par rapport à un être ou un objet précis.

Exemple

La Reine avait, <u>plus que personne que j'aie jamais vu</u>, de cette sorte d'esprit qui lui était nécessaire pour ne pas paraître sotte à ceux qui ne la connaissaient pas.
Elle avait <u>plus d'aigreur que de hauteur, plus de hauteur que de grandeur, plus de manières que de fond, plus d'inapplication à l'argent que de libéralité</u>.
(Cardinal de Retz, *Mémoires.*)

Commentaire

Le comparatif s'inscrit dans le cadre d'une pensée spéculative, d'une appréciation, d'un jugement : il souligne une parenté, signale une différence ou une identité, propose une estimation à partir d'une référence précise. Il met en place un univers dans lequel les choses ou les êtres n'ont de valeur que les uns par rapport aux autres.

complément absolu

Groupe formé :
— d'un sujet et d'un participe présent ou passé (ex. 1);
— d'un sujet accompagné d'un attribut (ex. 2);
— d'un sujet et d'un adverbe ou d'un groupe prépositionnel (ex. 3).

Exemples

1. <u>Les parts étant faites</u>, on se mit à manger.
2. <u>Morte Divine</u>, que me reste-t-il à faire ? À dire ? (Jean Genet, *Notre-Dame-des-Fleurs*.)
3. <u>Le chien dehors</u>, on eut moins peur.

Commentaire

Le complément absolu, par sa nature synthétique, crée un effet de condensation du sens.

Exprimant l'antériorité par rapport au verbe principal, il a également une valeur chronologique.

concession *nom fém.*

Elle permet d'opposer le sens de deux propositions et de noter leur rupture logique.

Elle est introduite par les conjonctions ou locutions conjonctives suivantes : *quoique, bien que, encore que, malgré que, si ... que...*

Exemple

<u>Quoique nous n'eussions point de chaloupe dehors</u>, je me jetai du mât de beaupré à la mer. (François René de Chateaubriand, *Voyage en Amérique*.)

Commentaire

L'auteur peut, grâce à la concession, noter les faits qui s'opposent à ses idées et indiquer qu'il passe outre en connaissance de cause. La concession permet de bâtir une argumentation rigoureuse et imparable.

→ ARGUMENT.

concret (mot)

Un mot est dit *concret* lorsqu'il désigne une réalité matérielle et palpable. Le mot concret est l'instrument de la description et du portrait.

Exemple

J'étais assis au cinquième rang de la classe d'anglais. Le professeur nous faisait réviser un texte lorsque la porte s'ouvrit. (Philippe Labro, *l'Étudiant étranger*.)

Commentaire

Le mot concret installe le lecteur dans un univers plus sensible qu'intellectuel. Il permet de dresser un décor, de fixer les traits d'une personne, de faire émerger le réel.

→ ABSTRAIT (mot).

conditionnel (mode)

Un verbe au conditionnel situe l'action dans l'ordre de l'irréel ou du possible.

Exemples

1. Mécontent de tous et mécontent de moi, je <u>voudrais</u> bien me racheter et m'enorgueillir un peu dans le silence de la nuit. (Charles Baudelaire, *le Spleen de Paris*, «À une heure du matin».)
2. Mouret était tombé assis sur le bureau, dans le million qu'il ne voyait plus. Il ne lâchait pas Denise, il la serrait éperdument sur sa poitrine, en lui disant qu'elle pouvait partir maintenant, qu'elle <u>passerait</u> un mois à Valognes, ce qui <u>fermerait</u> la bouche du monde, et qu'il <u>irait</u> ensuite l'y chercher lui-même, pour l'en ramener à son bras, toute-puissante. (Émile Zola, *Au bonheur des dames*.)

Commentaire

Le conditionnel entre dans un système de pensée spéculatif: les événements, les êtres ou les choses sont envisagés dans l'esprit plutôt qu'ils ne sont perçus dans la réalité (ex. 1). On fera toutefois attention à la valeur particulière du conditionnel présent, qui, dans certains cas, peut exprimer un futur dans le passé et fonctionner alors comme un temps de l'indicatif (ex. 2).

→ ASPECT.

conglobation *nom fém.*

Procédé par lequel on présente une accumulation de preuves ou d'arguments pour persuader un interlocuteur.

Exemple

— Mon père, oubliez vos expériences, lui dit sa fille quand ils furent seuls, vous avez cent mille francs à payer, et nous ne possédons pas un liard. Quittez votre laboratoire, il s'agit aujourd'hui de votre bonheur. Que deviendrez-vous, quand vous serez en prison, souillerez-vous vos cheveux blancs et le nom de Claës par l'infamie d'une banqueroute ? Je m'y opposerai. J'aurai la force de combattre votre folie, il serait affreux de vous voir sans pain dans vos derniers jours. Ouvrez les yeux sur notre position, ayez donc enfin de la raison.

— Folie ! cria Balthazar qui se dressa sur ses jambes, fixa ses yeux lumineux sur sa fille, se croisa les bras sur la poitrine, et répéta le mot folie si majestueusement, que Marguerite trembla. Ah ! ta mère ne m'aurait pas dit ce mot ! reprit-il, elle n'ignorait pas l'importance de mes recherches, elle avait appris une science pour me comprendre, elle savait que je travaille pour l'humanité, qu'il n'y a rien de personnel ni de sordide en moi. (Honoré de Balzac, *la Recherche de l'absolu*.)

Commentaire

La conglobation traduit la force d'une conviction. Mais elle peut aussi produire un effet de surcharge dans la forme et d'oppression dans le sens. Elle a souvent une valeur autoritaire.

→ ADJONCTION, AMPLIFICATION, ARGUMENT, ÉNUMÉRATION.

conjonction *nom fém.*

◆ conjonction de coordination

Outil grammatical qui permet de lier deux mots ou deux phrases de même nature. Les conjonctions de coordination peuvent exprimer diverses nuances comme l'addition, l'opposition, la cause, la conséquence.

Exemple

Je veux vous parler encore, avec la même sincérité que j'ai déjà commencé, reprit-elle, <u>et</u> je vais passer par-dessus toute la retenue <u>et</u> toutes les délicatesses que je devrais avoir dans une première conversation ; <u>mais</u> je vous conjure de m'écouter sans m'interrompre. (Mme de La Fayette, *la Princesse de Clèves*.)

Commentaire

La conjonction de coordination constitue un pivot autour duquel s'articulent des mots ou des phrases. Elle sert de jalon à la phrase dont elle souligne et traduit les paliers successifs.

→ ARTICULATEUR, COORDINATION.

◆ conjonction de subordination

Outil grammatical qui permet de construire une proposition subordonnée conjonctive. Les conjonctions de subordination sont classées selon leur sens : elles peuvent exprimer le temps, le lieu, la condition, le but, la concession, etc.

Exemple

Notre-Dame eut un sourire à faire damner ses juges. Un sourire si azuré que les gardes eux-mêmes eurent l'intuition de l'existence de Dieu et des grands principes de géométrie. (Jean Genet, *Notre-Dame-des-Fleurs.*)

Commentaire

La conjonction de subordination, sur laquelle repose le lien entre proposition principale et proposition subordonnée, a essentiellement une valeur d'attache. Cependant, il arrive bien souvent que, en raison de sa richesse sémantique, elle révèle ou renforce le sens général de la phrase.

→ SUBORDINATION.

connotation *nom fém.*

À la différence de la dénotation, la connotation désigne les sens que prend un mot dans son contexte socioculturel ou psychologique.
Le sens connoté d'un mot correspond aux échos affectifs qu'il fait naître chez le lecteur ou l'auditeur.

Exemple

Y a encore le village, qu'il ajouta... Y a pas cent nègres dedans, mais ils font du bouzin comme dix mille, ces tantes!... (Louis-Ferdinand Céline, *Voyage au bout de la nuit.*)

Commentaire

Dans la phrase précédente, le mot *nègre* ne désigne pas seulement les Noirs. Il est péjoratif. Le locuteur y affiche son racisme avec violence, niant implicitement le droit à l'existence des Noirs.

→ ALLUSION, DÉNOTATION, MÉTAPHORE.

consonance *nom fém.*

On nomme ainsi le retour d'un même son final ou d'un son voisin à la fin de deux ou plusieurs mots. Cette pratique est facilement repérable en versification.

Exemple

Rien ne m'effraie plus que la fausse accal<u>mie</u>
D'un visage qui <u>dort</u> ;
Ton rêve est une Égypte et toi c'est la mo<u>mie</u>
Avec son masque <u>d'or</u>.
(Jean Cocteau, *Plain-Chant*.)

Commentaire

La consonance participe à l'harmonie de la phrase. Comme l'écrit Lamartine (*Première Méditation*, Préface), les «consonances de la fin des vers [...] sont comme des échos répercutés où le même sentiment se prolonge dans le même son». (Voir aussi la table d'orientation, *versification*.)

→ ASSONANCE.

▪consonne *nom fém.*

→ GÉMINÉES, NASALE, SONORE, SOURDE.

contrepèterie *nom fém.*

Jeu sur les mots, proche de l'anagramme, obtenu par la permutation d'un ou de plusieurs sons, d'une ou de plusieurs lettres.

Exemples

1. Une femme <u>folle</u> à la <u>messe</u> [= une femme molle à la fesse] (François Rabelais, *Pantagruel*.)
2. Un mour vers jidi, sur la fate-plorme autière d'un arrobus, je his un vomme au fou lord cong et à l'entapeau chouré d'une tricelle fessée [= Un jour vers midi, sur la plate-forme arrière d'un autobus, je vis un homme au cou fort long et au chapeau entouré d'une ficelle tressée.] (Raymond Queneau, *Exercices de style*.)

Commentaire

Lorsque la contrepèterie ne vise pas que l'absurde (ex. 2), elle cherche à créer des effets burlesques ou gaulois (ex. 1).

→ ANAGRAMME, JEU DE MOTS.

contre-rejet *nom masc.*

On parle de *contre-rejet* en versification lorsqu'une phrase débute à la fin d'un vers et se poursuit dans tout le vers suivant.

Exemple

À la cinquième fois, sur ces murs ténébreux,
Aveugles et boiteux vinrent, <u>et leurs huées</u>
Raillaient le noir clairon sonnant sous les nuées.
(Victor Hugo, *les Châtiments*.)

Commentaire

Le contre-rejet provoque une rupture rythmique à l'intérieur du poème et de la phrase, mettant en valeur les mots sur lesquels il porte.

→ ENJAMBEMENT, REJET, RYTHME DU VERS.

contresens *nom masc.*

Le contresens est une erreur d'interprétation. Il apparaît fréquemment dans les traductions, dans les analyses ou les explications de textes. Il est volontiers utilisé par les satiristes en raison de son essence comique.

Exemple

«Monsieur le directeur, je lui ai dit, bonjour, je suis navré de vous déranger, mais écoutez, y'a un énergumène qui est dans la cour de la caserne, et vous ne pouvez pas savoir ce qu'il nous fait faire. La fantaisie lui prend et il nous dit: "En avant." Nous, bonnes pommes, on va en avant, pourquoi qu'on aurait été en arrière. Il nous dit "en avant", on va en avant. "Demi-tour", on se dit: "Tiens, il a oublié quelque chose..." "À gauche..." "Tiens, il veut nous faire visiter les anciennes écuries." "À droite!" Il ne sait pas du tout où il veut nous faire aller. Il nous a fait rater trois fois la sortie, je vous dis de l'arrêter avant qu'il tue quelqu'un.»
Avec une légère commisération dans le regard, il me dit: «Huit jours de prison.
— J'suis pas méchant mais j'crois qu'il les mérite.
— Pas lui, vous!
— Plaît-il?
— Deux semaines de prison pour vous!»
(Fernand Raynaud, *Heureux*.)

Commentaire

Le contresens introduit un dysfonctionnement dans un texte. Volontaire, il produit un effet de surprise à valeur dramatique ou comique.

→ DIALOGUE DE SOURDS, NON-SENS.

coordination *nom fém.*

Deux mots ou deux propositions de même nature peuvent se rattacher par coordination (ex. 1). Lorsqu'une conjonction de coordination lie deux éléments de nature différente, elle crée un effet particulier qu'il convient d'analyser (ex. 2).

Exemples

1. Quand ce n'est pas un croissant mélancolique qui reste accroché dans les branches _et_ qui coule comme une cascade, dégouline _et_ s'égoutte dans le sillage du navire, c'est une pleine lune énorme _et_ stupéfiante, suspendue dans l'espace, qui est le centre d'ondes lumineuses (Blaise Cendrars, _Histoires vraies_.)

2. Par-delà des vagues de toits, j'aperçois une femme mûre, ridée déjà, pauvre, toujours penchée sur quelque chose, _et_ qui ne sort jamais. (Charles Baudelaire, _Petits Poèmes en prose_, «les Fenêtres».)

Commentaire

Une pensée qui s'énonce par coordination est généralement plus descriptive qu'analytique. La coordination traduit une vision qui s'organise par addition. Elle peut être l'instrument d'une rupture de construction (ex. 2).

→ CONJONCTION DE COORDINATION.

coq-à-l'âne _nom masc._

Énoncé ou texte dans lequel on saute sans raison et sans transition d'un propos à l'autre.

Exemple

PATHELIN. — D'où viens-tu, carême-prenant? Hélas! cher brave homme. Je connais heureusement plus d'un livre! Henri! Ah! Henri! Viens dormir. Je vais être bien armé! Alerte! Alerte! Trouvez des bâtons! Course, course! une nonne ligotée!
(_La Farce de Maistre Pathelin_, sc. 5.)

Commentaire

Le coq-à-l'âne est un procédé de style qui permet de traduire l'agitation, la folie des propos. Il crée la surprise, évoque le tragique de la démence ou provoque le rire.

→ DIALOGUE DE SOURDS, JEU DE MOTS.

couleur locale

On parle de _couleur locale_ dans un texte lorsque l'action est rendue plus intelligible par la mention des coutumes, des décors, des costumes de l'époque où elle se passe.

Exemple

Bamba allait d'un quartier à l'autre, précédé de Togoroko, l'idiot du village, qui, pour la circonstance, avait revêtu ses étranges accoutrements: son pantalon bouffant rouge balayait le sol, et sur son bonnet noir orné de miroirs et de cauris, il avait cousu une tête d'antilope qui se balançait aux mouvements de sa tête. (Massa Makan Diabaté, _le Coiffeur de Kouta_.)

Commentaire

La couleur est nécessaire pour rendre un récit plus véridique. Elle permet de documenter le lecteur, de le séduire par l'exotisme ou la singularité des descriptions et des portraits. Elle l'introduit dans un nouvel univers.

→ DESCRIPTION, EXOTISME, PITTORESQUE, RÉCIT.

coupe *nom fém.*

La coupe est un arrêt à l'intérieur d'un vers, qui peut en posséder plusieurs. Dans un alexandrin, la coupe principale se trouve en général après la sixième syllabe (césure); dans un octosyllabe, elle intervient d'ordinaire après la troisième ou la quatrième syllabe; dans un décasyllabe, on la remarque après la quatrième syllabe. La coupe vient toujours après une syllabe accentuée.

Exemple

Et les roseaux jaseurs /et les fleurs nues des vignes
(Guillaume Apollinaire, *Alcools*, «Mai».)

Commentaire

La coupe met en relief le mot qui la précède en accentuant sa valeur, sa sonorité et son rythme. (Voir aussi la table d'orientation, *versification*.)

→ ACCENT D'INTENSITÉ, CÉSURE, HÉMISTICHE, MESURE, RYTHME DU VERS.

courant (niveau de langue)

Le niveau de langue *courant*, appelé aussi *médian* ou *standard*, désigne la langue commune, correcte mais sans recherche particulière, dont on se sert pour communiquer dans des situations ordinaires. Ce niveau de langue utilise un vocabulaire et une syntaxe usuels, accessibles à tous. Il est employé par les médias.

Exemple

La conscience d'être devenus majoritaires donne de l'audace aux non-fumeurs. La plupart souffraient jusqu'ici en silence... (E. Conan, *l'Express*, 12-18 sept. 1986.)

Commentaire

Le niveau de langue courant est direct, informatif. Il gagne en efficacité ce qu'il perd parfois en recherche. (Voir aussi la table d'orientation, *niveau de langue*.)

→ FAMILIER, SOUTENU.

crochets   *nom masc. pluriel*

Appelés aussi *crochets droits,* les crochets vont toujours par deux. On les utilise lorsque le texte comporte déjà des parenthèses (ex. 1) ou lorsque l'on intervient dans le texte d'autrui (ex. 2). Ils peuvent également signifier que l'on tronque une citation (ex. 3).

Exemples

1. Victor Hugo s'est dressé contre Napoléon III (cf. *les Châtiments* [1853]).
2. Il a adopté nos péchés et nous a [admis à son] alliance. (Blaise Pascal, *Pensées*, 668.)
3. Le messager de mort, noir recruteur des ombres [...]
   (André Chénier, *Ïambes*.)

Commentaire

Les crochets sont des signes conventionnels. Ils facilitent la lisibilité en hiérarchisant les informations.

→ PARENTHÈSE, PONCTUATION, TIRET.

croisées (rimes)

Dans un groupement de vers, on dit que les rimes sont *croisées* lorsqu'elles présentent le schéma *a b a b*.

Exemple

Mon verre est plein d'un vin trembleur comme une fl<u>amme</u>
Écoutez la chanson lente d'un batel<u>ier</u>
Qui raconte avoir vu sous la lune sept f<u>emmes</u>
Tordre leurs cheveux verts et longs jusqu'à leurs p<u>ieds</u>.
(Guillaume Apollinaire, *Alcools*, «Nuit rhénane».)

Commentaire

Cette convention, qui suppose le retour différé d'un même son à la fin d'un vers, produit un balancement rythmique et phonique dont la symétrie peut charmer ou lasser.

→ EMBRASSÉES (rimes), PLATES (rimes).

D

datif éthique

Dans la langue familière, il peut arriver que l'on emploie de
manière explétive un pronom personnel de première ou de
deuxième personne pour impliquer l'auteur et le lecteur dans
l'énoncé.

Exemple

Et elle <u>vous</u> lui détacha un coup de sabot si terrible, si terrible, que de
Pampérigouste même on en vit la fumée. (Alphonse Daudet, *Lettres de
mon moulin*.)

Commentaire

Le datif éthique (du latin *dativus ethicus*) connote par définition la
phrase où il est employé. Il rend la pensée plus familière, plus
affective. Il peut aussi donner l'illusion d'un langage oral.

→ EXPLÉTION.

décasyllabe   *nom masc.*

On appelle ainsi un vers de dix syllabes dont la coupe se situe
d'ordinaire après la quatrième syllabe. Il était fort en vogue au
Moyen Âge, avant d'être supplanté par l'alexandrin, à partir de
la Renaissance.

Exemple

Lorsque Maillart, juge d'Enfer, menait
À Montfaucon Semblançay l'âme rendre,
À votre avis, lequel des deux tenait
Meilleur maintien ? Pour le vous faire entendre,
Maillart semblait homme que Mort va prendre
Et Semblançay fut si ferme vieillard,
Que l'on croyait, pour vrai, qu'il menât pendre
À Montfaucon le lieutenant Maillart.
(Clément Marot, *Épigrammes*.)

Commentaire

Le décasyllabe, plus court que l'alexandrin, convient à l'expression des pensées brillantes, spirituelles ou paradoxales dont il concentre le sens. (Voir aussi la table d'orientation, *versification*.)

dédicace   *nom fém.*

Inscription par laquelle un auteur dédie son œuvre à une personne ou à un groupe précis. La dédicace figure au début du livre. Elle ne nomme pas forcément le destinataire.

Exemple

À tous ceux
Qui crevèrent d'ennui au collège,
Ou
Qui, pendant leur enfance,
Furent tyrannisés par leurs maîtres
Ou
Rossés par leurs parents.

Dédicace de Jules Vallès dans son roman *l'Enfant*.

Commentaire

La dédicace s'accompagne d'un effet solennel généralement voulu par l'auteur. Procédé élégant, elle confère à l'œuvre une distinction de principe.

Lorsqu'elle s'adresse à une personne anonyme, la dédicace s'auréole de mystère et prête à toutes sortes d'interprétations qui sont autant de lumières jetées sur l'œuvre, sur l'auteur et sur sa vie.

définition   *nom fém.*

Une définition est une formule par laquelle on détermine l'ensemble des caractères d'un objet ou d'une notion afin d'en donner une connaissance aussi exacte que possible.

Exemple

J'ai trouvé la définition du Beau — de mon Beau. C'est quelque chose d'ardent et de triste, quelque chose d'un peu vague, laissant carrière à la conjecture. (Charles Baudelaire, *Fusées*.)

Commentaire

La définition, qui implique savoir et certitude, a des propriétés éclairantes. D'où sa valeur didactique. Elle peut être poétique lorsqu'elle recourt à l'image, ou simplement technique.

délibératif (style)

Un style est dit *délibératif* lorsqu'il déploie une pensée qui s'interroge, lorsqu'il met en scène un débat ou une réflexion préludant à une décision.

Exemple

Renvoyer le comte... me trouver seule avec lui, après ce qui vient d'arriver, c'est ce qui m'est impossible. Le pauvre homme! il n'est point méchant, au contraire; il n'est que faible. Cette âme vulgaire n'est point à la hauteur des nôtres. Pauvre Fabrice! que ne peux-tu être ici un instant avec moi, pour tenir conseil sur nos périls! (Stendhal, *la Chartreuse de Parme*.)

Commentaire

Le style délibératif utilise toutes les ressources de l'hypothèse, de la question et de la réponse. Il a une puissance dramatique d'autant plus forte que l'enjeu de la délibération est important.

démonstratif (style)

Un style est dit *démonstratif* lorsqu'il se propose d'établir une vérité, d'expliquer une donnée, de justifier un point de vue.

Exemple

Nous allons passer du comique des formes à celui des gestes et des mouvements. Énonçons tout de suite la loi qui nous paraît gouverner les faits de ce genre. Elle se déduit sans peine des considérations que l'on vient de lire.

Les attitudes, gestes et mouvements du corps humain sont risibles dans l'exacte mesure où ce corps nous fait penser à une simple mécanique.

(Henri Bergson, *le Rire*.)

Commentaire

Le style démonstratif se caractérise par la fermeté du ton, un rythme court qui souligne les phases successives de la démonstration, un vocabulaire généralement concret.

Directif par nature, il peut tour à tour plaire ou gêner par sa rigueur.

dénotation *nom fém.*

Chaque mot figurant dans le dictionnaire a un sens minimal, objectif, rigoureux et neutre sur lequel tout le monde s'accorde : c'est le sens dénoté. Les énoncés scientifiques doivent toujours être dénotés, à la différence des textes poétiques qui sont fortement connotés.

Exemple

L'eau bout à 100 degrés.

Commentaire

L'énoncé dénoté est par définition d'une force totale. En effet, il jouit de la rigueur scientifique, sur laquelle personne ne peut gloser.

→ CONNOTATION, MONOSÉMIE.

déprécation *nom fém.*

Prière que l'on adresse aux dieux ou à une puissance humaine pour en obtenir une faveur. La déprécation est incluse dans un discours souvent tendu, voire dramatique.

Exemple

Esther vient de déclarer au roi Assuérus, son époux, qu'elle est juive.

Ô Dieu, confonds l'audace et l'imposture.
Ces Juifs, dont vous voulez délivrer la nature,
Que vous croyez, Seigneur, le rebut des humains,
D'une riche contrée autrefois souverains,
Pendant qu'ils n'adoraient que le Dieu de leurs pères,
Ont vu bénir le cours de leurs destins prospères.
(Jean Racine, *Esther*, acte III, sc. 4.)

Commentaire

Cette prière a un but stratégique : faire changer d'avis son interlocuteur. Sa force vient donc de son argumentation très serrée et de ses mots-clés.

→ IMPRÉCATION.

description *nom fém.*

La description permet de représenter des objets ou des lieux. Il existe des descriptions objectives, où le narrateur n'exprime aucun sentiment personnel, et des descriptions subjectives, où il laisse percer ses sentiments et se dévoile à travers ce qu'il décrit. Les deux types de description se combinent très souvent.

Exemple

Au rez-de-chaussée de la maison, la pièce la plus considérable était la salle dont l'entrée se trouvait sous la voûte de la porte cochère... La salle est à la fois l'antichambre, le salon, le cabinet, le boudoir, la salle à manger ; elle est le théâtre de la vie domestique, le foyer commun ; là, le coiffeur du quartier venait couper deux fois l'an les cheveux de monsieur Grandet ; là, entraient les fermiers, le curé, le sous-préfet, le garçon meunier. (Honoré de Balzac, *Eugénie Grandet*.)

Commentaire

La description permet de faire voir à son lecteur un décor, un détail. Elle permet de traduire toutes sortes de sensations : visuelles, olfactives, thermiques, auditives, affectives, etc.

déterminant *nom masc.*

On appelle *déterminant* le mot qui, placé devant le nom, permet d'actualiser ce nom à l'intérieur d'une phrase.

On distingue plusieurs catégories de déterminants :
— les articles (définis, indéfinis, partitifs) ;
— les adjectifs déterminatifs (démonstratifs, possessifs, indéfinis, numéraux, interrogatifs, exclamatifs).

Un nom peut recevoir plusieurs déterminants.

Exemple

Et <u>cette</u> maladie qu'était l'amour de Swann avait tellement multiplié, il était si étroitement mêlé à <u>toutes les</u> habitudes de Swann, à <u>tous ses</u> actes, à <u>sa</u> pensée, à <u>sa</u> santé, à <u>son</u> sommeil, à <u>sa</u> vie, même à ce qu'il désirait pour après <u>sa</u> mort, il ne faisait tellement plus qu'un avec lui, qu'on n'aurait pu l'arracher de lui sans le détruire lui-même à peu près tout entier : comme on dit en chirurgie, <u>son</u> amour n'était plus opérable. (Marcel Proust, *Un amour de Swann*.)

Commentaire

Sorti du dictionnaire, un nom ne prend son sens exact que dans le contexte du vers ou de la phrase. Le déterminant qui le précède lui donne alors sa véritable identité, même si le degré de détermination varie en fonction du déterminant : on distingue ainsi des déterminants forts comme l'article défini, l'adjectif possessif ou démonstratif, et des déterminants plus faibles comme l'article indéfini. L'effet produit par le déterminant est, dans tous les cas, l'inscription du nom dans le réel, avec les nuances attachées à chaque catégorie de déterminants (ex. : le lien de possession pour les adjectifs possessifs).

◆ absence de déterminant

Un nom commun peut être privé de déterminant lorsqu'il est mis en apostrophe ou en apposition (ex. 1), lorsqu'il est attribut (ex. 2), lorsqu'il apparaît dans une proposition nominale (ex. 3), dans un titre ou dans une maxime (ex. 4), enfin lorsqu'il fait corps avec un verbe pour former une locution verbale (ex. 5).

Exemples

1. À la fin tu es las de ce monde ancien
   <u>Bergère</u> ô <u>tour Eiffel</u> le troupeau des ponts bêle ce matin
   Tu en as assez de vivre dans l'antiquité grecque et romaine
   (Guillaume Apollinaire, *Alcools*, «Zone».)
2. Eugénie était sublime, elle était <u>femme</u>. (Honoré de Balzac, *Eugénie Grandet*.)
3. Pauvre <u>bougre</u>. Il lui fait de la peine. (Nathalie Sarraute, *le Planétarium*.)
4. <u>Bien</u> mal acquis ne profite jamais.
5. Avoir <u>peur</u>.

Commentaire

Privé de déterminant, le nom prend une tournure abstraite qui convient particulièrement au langage poétique. Le signifié, concentré sur un seul signifiant, acquiert de ce fait une puissance évocatrice plus directe et plus riche.

→ ARTICLE.

dialecte *nom masc.*

On appelle *dialecte* la variante régionale d'une langue nationale. Le dialecte présente des différences essentiellement phonétiques et lexicales.

«Avant le XIVe siècle, il n'y avait point en France de parler prédominant; il y avait des dialectes; et aucun de ces dialectes ne se subordonnait à l'autre. Après le XIVe siècle, il se forma une langue littéraire et écrite, et les dialectes devinrent des patois.» (Émile Littré.)

Le français moderne vient du dialecte de l'Île-de-France, également appelé *francien*.

Exemple

Le campagnard, interdit, regardait le maire, apeuré déjà par ce soupçon qui pesait sur lui, sans qu'il comprît pourquoi.
— <u>Mé, mé</u>, j'ai ramassé <u>su portafeuille</u>?
— Oui, vous-même.
— Parole d'honneur, je n'en ai seulement point eu connaissance.
— On vous a vu!
— On m'a vu, <u>mè</u>? Qui ça qui m'a vu?
— M. Malandain, le bourrelier.
Alors le vieux se rappela, comprit et, rougissant de colère:
— Ah! i m'a vu, <u>çu manant</u> (1). I m'a vu ramasser c'te ficelle-là, tenez, m'sieu le Maire.
(Guy de Maupassant, *la Ficelle*.)

(1) le paysan.

Commentaire

Par ses sonorités, sa graphie, sa signification inhabituelles, une expression dialectale fait saillie dans la phrase et projette sur le contexte une coloration exotique. Elle confère également au discours une valeur authentique. (Voir aussi la table d'orientation, *langue populaire*.)

→ EXOTISME, RÉGIONALISME.

dialogue *nom masc.*

Le dialogue permet de transcrire une conversation. On le reconnaît par la présence d'une ponctuation particulière, qui varie suivant qu'il s'agit d'un dialogue de roman (ex. 1) ou de théâtre (ex. 2), et par l'utilisation de verbes déclaratifs et de propositions incises dans le roman (ex. 1).

Exemples

1. Marius [...] regarda son grand-père en face, prit un air terrible, et dit:
   — Ceci m'amène à vous dire une chose.
   — Laquelle ?
   — C'est que je veux me marier.
   — Prévu, dit le grand-père. Et il éclata de rire.
   (Victor Hugo, *les Misérables*.)
2. HARPAGON. — Je me suis engagé, maître Jacques, à donner ce soir à souper.
   MAÎTRE JACQUES. — Grande merveille !
   HARPAGON. — Dis-moi un peu, nous feras-tu bonne chère ?
   MAÎTRE JACQUES. — Oui, si vous me donnez bien de l'argent.
   (Molière, *l'Avare*, acte III, sc. 1.)

Commentaire

Le dialogue permet de rendre une narration plus vivante, de rapporter *sur le vif* les paroles de quelqu'un. Pour rendre un dialogue vraisemblable, on doit se préoccuper du niveau de langue de chacun des personnages.

→ DIRECT (style), RÉCIT.

dialogue de sourds

On appelle *dialogue de sourds* un échange de répliques dans lequel réponses et questions ne coïncident pas. Plus largement, un dialogue de sourds met en scène deux ou plusieurs personnages entre lesquels la communication ne passe pas.

Exemple

— Est-ce qu'il y a quelqu'un ?
L'enfant répondit :
— Oui.
— Qui ?
— Moi.
— Toi ? qui ça ? d'où viens-tu ?
— Je suis las, dit l'enfant.
— Quelle heure est-il ?
— J'ai froid.
— Que fais-tu là ?
— J'ai faim.
(Victor Hugo, *l'Homme qui rit*.)

Commentaire

Le dialogue de sourds peut produire un effet comique ou tragique (ex. ci-dessus) selon que l'enjeu de la communication est léger ou grave.

dichotomie *nom fém.*

Opération qui consiste à appréhender les deux aspects d'une idée pour les opposer.

Exemple

Les jeux, les bals, les festins, les pompes, les comédies, en leur substance ne sont nullement choses mauvaises ains (1) indifférentes, pouvant être bien et mal exercées ; toujours néanmoins ces choses-là sont dangereuses, et de s'y affectionner, cela est encore plus dangereux. (François de Sales, *Introduction à la vie dévote*.)

(1) Mais.

Commentaire

Une pensée dichotomique s'exprime généralement au moyen de l'antithèse ou de la symétrie, la mise en parallèle de deux idées ayant pour objectif de faire apparaître des différences ou des identités. Elle traduit une vision contrastée du monde et témoigne d'un esprit méthodique soucieux de convaincre par une approche comparative de la réalité.

→ ANTITHÈSE, SYMÉTRIE.

didactique (style)

Le style didactique se caractérise par l'emploi de termes précis, un sens de la rigueur, une argumentation qui s'appuie très souvent sur des exemples. On l'utilise lorsqu'on veut apprendre quelque chose à quelqu'un avec clarté.

Exemple

L'adjectif varie en genre et en nombre (genre et nombre qu'il reçoit du nom auquel il se rapporte); il est apte à servir d'épithète et d'attribut. (Maurice Grévisse, *le Bon Usage*.)

Commentaire

Le style didactique vise à convaincre par une argumentation serrée ou par une information indiscutable. Il ne laisse aucune place à l'interprétation.

→ ARGUMENT, ASSERTION.

diérèse *nom fém.*

En poésie, on appelle *diérèse* le fait de prononcer en deux syllabes deux voyelles consécutives.

Exemple

Et j'irai loin, bien loin, comme un bohé<u>mien</u>.
(Arthur Rimbaud, *Poésies*, «Sensation».)

Commentaire

La diérèse, qui permet à un mot de prendre davantage d'ampleur dans le vers, est un procédé de mise en valeur. Elle s'accompagne souvent d'un effet d'écrasement ou de dilatation.

→ RYTHME DU VERS, SYNÉRÈSE.

diminutif *nom masc.*

Mot formé d'une racine et d'un suffixe diminutif. Les principaux suffixes diminutifs sont *-et(te), -on, -ot(te)*.

Exemple

J'offre ces violettes,
Ces lis et ces <u>fleurettes</u>,
Et ces roses icy,
Ces <u>vermeillettes</u> roses,
Tout freschement écloses,
Et ces œilletz aussi.
(Joachim du Bellay, *Divers Jeux rustiques*.)

Commentaire

Une impression de délicatesse, de grâce et de légèreté se dégage du diminutif. Dans certains contextes, il peut également prendre une coloration affectueuse ou familière.

direct (style)

C'est l'expression directe des paroles et des pensées de l'auteur ou d'un personnage fictif.

Exemple

— Vous êtes toujours décidée à nous quitter ? demanda Mouret, dont la voix tremblait.

— Oui, monsieur, il le faut.

(Émile Zola, *Au bonheur des dames*.)

Commentaire

Le style direct, qui restitue la nature et le rythme de la parole, permet de saisir sur le vif un échange verbal. Il est donc plus vivant et paraît souvent plus authentique que le style indirect ou le style indirect libre, de facture plus littéraire.

→ DIALOGUE, INDIRECT (style), RÉCIT.

disjonction *nom fém.*

Appelée aussi *parataxe*, la disjonction est une technique d'écriture où l'on juxtapose des mots ou des groupes de mots en supprimant le plus possible d'articulateurs ou mots de liaison.

Exemple

Madame de Castries était un quart de femme, une espèce de biscuit manqué, extrêmement petite, mais bien prise, et aurait passé dans un médiocre anneau, ni gorge ni menton, fort laide, l'air toujours en peine et étonnée... (Saint-Simon, *Mémoires*.)

Commentaire

La disjonction rend l'expression plus tonique. Elle rapproche des réalités dont elle révèle le sens par contraste.

→ ANACOLUTHE, ANTITHÈSE, JUXTAPOSITION, PARATAXE.

distique *nom masc.*

Strophe composée de deux vers.

Exemple

Épitaphe de misanthrope
Je suis mort sans laisser de fils, et regrettant
Que mon père avant moi n'en eût pas fait autant.
(*Anthologie palatine*, VII, 309, trad. de Marguerite Yourcenar.)

Commentaire

Le distique tire sa force de l'unité de sens qu'il développe dans deux uniques vers. (Voir aussi la table d'orientation, *versification*.)

dubitatif (ton)

Un ton est dit *dubitatif* lorsqu'il exprime le soupçon ou le doute, lorsqu'il traduit des hésitations.

Exemple

Je suis terriblement esclave de ma profession, voilà la vérité, songeait-il. Je n'ai plus jamais le temps de réfléchir... Réfléchir, ce n'est pas penser à mes malades, ni même à la médecine ; réfléchir, ce devrait être : méditer sur le monde... Je n'en ai pas le loisir... Je croirais voler du temps à mon travail... Ai-je raison ? Est-ce que mon «existence» professionnelle est vraiment toute la vie ? Est-ce même toute ma vie ? Pas sûr... Sous le docteur Thibault, je sens bien qu'il y a quelqu'un d'autre : «moi»... Et ce quelqu'un-là, il est étouffé... Depuis longtemps... Depuis que j'ai passé mon premier examen, peut-être. (Roger Martin du Gard, *les Thibault*.)

Commentaire

Le ton dubitatif place le lecteur au cœur d'une conscience qui s'interroge ou d'une parole qui doute. Il produit dans le discours un effet de brisure, de dispersion du sens. Il peut être insinuant.

duratif *adj.*

Un verbe est dit *duratif* lorsqu'il présente une action sous l'angle de la durée, de la continuité.

Exemple

La machine <u>roulait</u>, <u>roulait</u>, le train venait de sortir du tunnel à grand fracas, et il <u>continuait</u> sa course, au travers de la campagne vide et sombre. (Émile Zola, *la Bête humaine*.)

Commentaire

L'aspect duratif dans un verbe permet de jouer sur le rythme de l'action dont il suspend le déroulement.

Ce retardement, qui tient le lecteur en haleine, a donc une valeur dramatique. En même temps, il propose un «arrêt sur image» à valeur esthétique : la scène évoquée par le verbe duratif peut s'imprimer en détail dans l'esprit du lecteur.

→ ASPECT, IMPARFAIT, MOMENTANÉ.

«e» muet

Devant une voyelle, le *e* sourd ne se prononce pas. Il est alors dit *e muet* ou *e caduc* (ex. 1).

Le *e* sourd, qui doit être prononcé devant une consonne, devient souvent un *e* muet dans le débit de la parole ou de la lecture (ex. 2).

Exemples

1. De la musiqu_e_ encor_e_ et toujours !
   (Paul Verlaine, *Jadis et Naguère*, « Art poétique ».)
2. La lutt_e_ continua sur le petit pont de tôle, qui dansait violemment. Les dents serrées, ils ne parlaient plus, ils s'efforçaient l'un l'autr_e_ de se précipiter par l'étroite ouvertur_e_, qu'un_e_ barr_e_ de fer seul_e_ fermait. (Émile Zola, *Germinal*.)

Commentaire

Le *e* muet devant une voyelle produit une harmonie phonique particulièrement mélodieuse, suggérée par l'enchaînement ininterrompu des mots dans la phrase. Lorsque le *e* sourd est écrasé entre deux consonnes dans le débit de la phrase, il provoque un effet d'accélération rythmique.

«e» sourd

Le *e* sourd est une voyelle demi-ouverte et demi-fermée qui, en raison de ce statut intermédiaire, provoque des effets particuliers.

Exemple

C'était un trist_e_ aspect que c_e_lui d_e_ ces six homm_es_ courant en silence, plongés chacun dans sa pensée, morn_es_ comm_e_ l_e_ désespoir, sombr_es_ comm_e_ l_e_ châtiment. (Alexandre Dumas, *les Trois Mousquetaires*.)

Commentaire

Le *e* sourd, par son absence d'expressivité, introduit des moments de vide et de silence dans la phrase. Cette impression peut s'accompagner d'un effet de ralentissement rythmique.

écart *nom masc.*

Toute figure de style présente un écart par rapport à une norme. Il existe différents types d'écarts : les écarts perçus au niveau phonique (ex. 1) et les écarts perçus au niveau sémantique (ex. 2). Dans ce second type d'écart, on distingue les écarts de type paradigmatique (où l'on substitue un mot à un autre) [ex. 2a] et les écarts de type syntagmatique (où l'on joue sur les accrochages des mots entre eux et sur la syntaxe) [ex. 2b].

Exemples

1. Va la pépé, va la pêcher toi-même.
   (Jacques Prévert, *Chansons.*)
2a. Cette <u>faucille d'or</u> dans le champ des étoiles.
   (Victor Hugo, *la Légende des siècles,* « Booz endormi ».)
2b. Rome, l'unique objet de mon ressentiment !
   Rome, à qui vient ton bras d'immoler mon amant !
   Rome qui t'a vu naître, et que ton cœur adore !
   Rome enfin que je hais parce qu'elle t'honore !
   (Pierre Corneille, *Horace*, acte IV, sc. 5.)

Commentaire

Un écart stylistique est le produit d'un travail sur la phrase. Ici le redoublement de sons (ex. 1), la métaphore (ex. 2a) et l'anaphore (ex. 2b) renforcent le sens et le rythme de chaque phrase.

égalité des membres d'une phrase ou d'un vers

Équivalence des groupes signifiants à l'intérieur de la phrase (ex. 1) ou du vers (ex. 2).

Exemples

1. Lucien avait beaucoup lu, beaucoup comparé ; David avait beaucoup pensé, beaucoup médité. (Honoré de Balzac, *Illusions perdues.*)
2. Je hais le mouvement qui déplace les lignes,
   Et jamais je ne pleure et jamais je ne ris.
   (Charles Baudelaire, *les Fleurs du mal*, « la Beauté ».)

Commentaire

L'égalité des membres d'une phrase ou d'un vers produit une impression d'équilibre pouvant suggérer la sérénité ou traduire l'ordre immuable du monde.

→ SYMÉTRIE.

ellipse *nom fém.*

Cette figure de style consiste à ne pas utiliser dans une phrase tous les éléments qu'on devrait y trouver si l'on suivait strictement les règles grammaticales.

Exemple

On se mit à parler allemand, avec la même aisance que tout à l'heure pour le français. (Pierre Loti, *Madame Chrysanthème*.)

Commentaire

L'ellipse dote le texte de plus de nervosité. Elle associe le lecteur à l'implicite du texte, en fait un complice.

embrassées (rimes)

Dans un groupement de vers, on dit que les rimes sont *embrassées* lorsqu'elles présentent le schéma *a b b a*.

Exemple

Un octogénaire plantait.
«Passe encore de bâtir; mais planter à cet âge!»
Disaient trois jouvenceaux, enfants du voisinage;
Assurément il radotait.
(Jean de La Fontaine, *Fables,* «le Vieillard et les Trois Jeunes Hommes».)

Commentaire

Ce système de rimes permet de fixer un cadre strict dans lequel sont enfermés les deux vers du milieu. Cette structure puissante fortifie la signification de l'ensemble.

→ CROISÉES (rimes), PLATES (rimes).

emphase *nom fém.*

Appelée aussi *mise en relief*, l'emphase permet d'attirer l'attention du lecteur sur un des éléments de la phrase. Il existe plusieurs procédés d'emphase: l'emploi du gallicisme *c'est... que/qui* (ex. 1), le recours à un procédé visuel typographique (ex. 2), la redondance (ex. 3), l'antéposition ou la postposition (ex. 4).

Exemples

1. Et c'est ton ombre que je cherche.
   (Henri de Régnier, *Odelette*.)
2. Greffier, lisez MA liste de MES biens.
   (Alfred Jarry, *Ubu roi*, acte III, sc. 2.)

3. Personne ne vous a rendu justice, à <u>vous</u>.
   (Walt Whitman, *Oiseaux de passage*.)

4. Ils arrivèrent, en effet, <u>ces fameux Comices</u>! (Gustave Flaubert, *Madame Bovary*.)

Commentaire

L'emphase s'accompagne d'un effet de grossissement à valeur dramatique ou comique. Elle permet d'exprimer des sentiments forts et convient particulièrement aux situations de communication officielles ou académiques.

→ ENFLURE, ORATOIRE (style).

emprunt *nom masc.*

On désigne par *emprunt* l'intégration d'un mot étranger à une langue nationale.

L'emprunt ne produit un effet que lorsqu'il est trop récent pour avoir été définitivement incorporé à la langue ou lorsqu'il a gardé les caractéristiques graphiques et phonétiques de sa langue d'origine.

Exemple

Olivier adorait entendre des mots tels que demi droit ou avant centre, ailier gauche et inter droit, et aussi les mots anglais : <u>penalty</u>, <u>corner</u> ou <u>goal</u>. Il s'imagina rue Labat en train d'essayer de bloquer un <u>shoot</u> de l'imbattable Loulou. Du coup, il oublia d'écouter le <u>score</u>. Il rejoignit son cousin :
— Ben, je crois que c'est Excelsior...
— Ou le Racing, bien sûr, dit Marceau ironiquement.
Et il ajouta une courte phrase qui se termina en <u>lamento</u> :
— Si tu savais ce que je m'en tape! Je ne tiens plus en l'air. Je vais pioncer. Quand ils rentreront, réveille-moi.
— <u>O.K. boss</u>! dit Olivier.
(Robert Sabatier, *Trois sucettes à la menthe*.)

Commentaire

Si l'emprunt introduit dans un texte exotisme, pittoresque et couleur locale, il semble souvent prétentieux et ostentatoire. Il peut être ressenti comme un artifice lorsqu'il remplace inutilement un mot de la langue d'origine.

Souvent aussi, un mot d'emprunt a la valeur d'un néologisme : très spécialisé, il n'a pas son équivalent dans la langue où il apparaît.

→ FRANGLAIS, NÉOLOGISME.

enflure *nom fém.*

Voisine du style ampoulé, l'enflure multiplie les exagérations, les redondances et les répétitions.

Exemple

Au reste, l'esprit et l'âme de cette merveilleuse personne surpassent de beaucoup sa beauté ; le premier n'a pas de bornes dans son étendue et l'autre n'a point d'égale en générosité, en constance, en bonté, en justice et en pureté. (Mlle de Scudéry, *le Grand Cyrus*.)

Commentaire

Mise à la mode par les précieux, l'enflure a vite été raillée et ses extravagances parodiées. Elle passe rarement pour une qualité du style, sauf dans les pastiches.

→ AMPHIGOURI, EMPHASE, ORATOIRE (style).

enjambement *nom masc.*

Procédé rythmique qui consiste à rejeter sur le vers suivant un ou plusieurs mots nécessaires au sens du vers précédent. L'enjambement supprime l'arrêt en fin de vers et prolonge une proposition dans le vers suivant sans toutefois le remplir. On appelle *rejet* la portion rejetée dans le vers suivant.

Exemple

Seul, inconnu, le dos courbé, les mains croisées,
Triste, et le jour pour moi sera comme la nuit.
(Victor Hugo, *les Contemplations*, «Demain, dès l'aube».)

Commentaire

L'enjambement ne doit être employé que quand le poète éprouve le besoin de produire un effet puissant. Cet effet peut être dramatique ou comique. Le rejet prend alors par sa place un relief exceptionnel.

→ ALEXANDRIN, CONTRE-REJET, REJET, RYTHME DU VERS.

énoncé *nom masc.*

On désigne par *énoncé* une phrase ou un ensemble de phrases ou de vers qui délimitent un sens, produisent un signifié.

Exemple

Je ne méprise pas les hommes. Si je le faisais, je n'aurais aucun droit, ni aucune raison, d'essayer de les gouverner. Je les sais vains, ignorants, avides, inquiets, capables de presque tout pour réussir, pour se faire valoir, même à leurs propres yeux, ou tout simplement pour éviter de souffrir. Je le sais : je suis comme eux, du moins par moments, ou j'aurais pu l'être. (Marguerite Yourcenar, *Mémoires d'Hadrien*.)

Commentaire

Toute pensée exprimée est un énoncé. Production individuelle et unique, l'énoncé devra être abordé avec un regard libre de tout préjugé. Sa forme (syntaxe, lexique, morphologie) et sa signification devront être soigneusement analysées, de même que ses rapports avec l'énonciation. (Voir aussi la table d'orientation, *discours-énoncé*.)

énonciation *nom fém.*

L'énonciation, par opposition à l'*énoncé*, se définit comme le langage en action. Elle renvoie le lecteur au sujet parlant ou écrivant. Les marques de l'énonciation, qui trahissent la présence d'un narrateur dans l'énoncé, peuvent être un pronom personnel ou possessif, un adjectif ou un adverbe appréciatif ou affectif, un adverbe de temps ou de lieu, un démonstratif, un présent de l'indicatif dans un texte au passé.

Exemple

Mais, malgré les efforts et les remontrances du juge, Lucien ne répondit plus. La réflexion était venue trop tard, comme chez tous les hommes qui sont esclaves de la sensation. Là est la différence entre le poète et l'homme d'action : l'un se livre au sentiment pour le reproduire en images vives, il ne juge qu'après ; tandis que l'autre sent et juge à la fois. Lucien resta morne, pâle, il se voyait au fond du précipice où l'avait fait rouler le juge d'instruction à la bonhomie de qui, lui le poète, il s'était laissé prendre. (Honoré de Balzac, *Illusions perdues*.)

Commentaire

Les marques de l'énonciation ouvrent une brèche dans l'énoncé. Comme un rappel soudain à la réalité, elles constituent une menace provisoire à la fiction poétique ou romanesque. Cependant, elles donnent également au texte profondeur et complexité en révélant les multiples couches de l'écriture.

→ ÉNONCÉ.

énumération *nom fém.*

Voisine de l'accumulation, l'énumération permet d'énoncer successivement les différentes parties d'un tout et de dresser des inventaires.

Exemple

Ils exhibaient d'extravagants jabots de batiste et faisaient étinceler à leur chemise, à leurs manchettes, à leurs cravates, à leurs dix doigts, voire même à leurs oreilles, tout un assortiment de bagues, d'épingles, de brillants, de chaînes, de boucles, de breloques dont le haut prix égalait le mauvais goût. (Jules Verne, *De la Terre à la Lune*.)

Commentaire

L'énumération permet au lecteur d'entrer dans l'univers de l'auteur, d'en évaluer la richesse, d'en éprouver la chaleur. Elle peut créer une impression de foisonnement.

→ ACCUMULATION, AMPLIFICATION, GRADATION.

envolée *nom fém.*

L'envolée permet de traduire les élans de l'âme ou de l'esprit, le lyrisme et l'émotion d'un écrivain. Elle se caractérise souvent par un ordre perturbé des mots.

Exemple

Ce n'est que lorsque les souvenirs deviennent en nous sang, regard, geste, lorsqu'ils n'ont plus de nom et ne se distinguent plus de nous, ce n'est qu'alors qu'il peut arriver qu'en une heure très rare, du milieu d'eux, se lève le premier mot d'un vers. (Rainer Maria Rilke, *Proses*.)

Commentaire

L'envolée entraîne le lecteur vers l'exaltation de ses propres sentiments, vers le lyrisme.

→ ENFLURE, ORATOIRE (style).

épanalepse *nom fém.*

Cette figure de style consiste à placer le même mot au début et à la fin d'une phrase ou d'un vers.

Exemple

L'homme est un loup pour l'homme. (Plaute, *Asinaria*.)

Commentaire

La répétition d'un même mot à une place symétrique accroît son pouvoir suggestif et crée un écho à l'intérieur de la phrase ou du vers.

→ ANAPHORE, RÉPÉTITION.

épiphonème *nom masc.*

À l'origine, l'épiphonème est une exclamation sentencieuse, une réflexion pleine d'esprit qui conclut un discours ou un récit. Il est souvent utilisé par les fabulistes.

Plus largement, l'épiphonème est une réflexion qui fait saillie dans l'ensemble d'un texte. On le trouve au début, au milieu ou à la fin du discours.

Exemples

1. La raison du plus fort est toujours la meilleure :
   Nous l'allons montrer tout à l'heure.
   Un agneau se désaltérait
   Dans le courant d'une onde pure
   (Jean de La Fontaine, *Fables*, «le Loup et l'Agneau».)
2. Toujours plus ou moins seul pendant les heures libres je mijotais avec des bouquins et des journaux et puis aussi avec toutes les choses que j'avais vues. Mes études, une fois reprises, les examens je les ai franchis à hue à dia, tout en gagnant ma croûte. Elle est bien défendue la Science, je vous le dis, la Faculté, c'est une armoire bien fermée. Des pots en masse, peu de confiture. (Louis-Ferdinand Céline, *Voyage au bout de la nuit*.)

Commentaire

Par son aspect synthétique, l'épiphonème introduit un effet de condensation dans un texte. Extérieur au discours de base, il constitue une greffe qui peut, selon le cas, prendre une valeur spirituelle, morale ou humoristique et créer avec le lecteur soit une distance, soit une complicité.

→ ADAGE, ÉPIPHRASE, MORALITÉ, PARTICIPATION AFFECTIVE, PROVERBE.

épiphrase *nom fém.*

L'épiphrase est une excroissance du discours, brève expansion soudée à l'ensemble sans qu'il soit possible de la détacher car elle n'a pas de signification propre, contrairement à l'épiphonème. Présentant une réflexion de l'auteur sur son texte, elle apparaît notamment dans les fables.

Exemple

Certain renard gascon, d'autres disent normand,
Mourant presque de faim, vit au haut d'une treille
      Des raisins, mûrs apparemment,
      Et couverts d'une peau vermeille.
Le galant en eût fait volontiers un repas :
      Mais comme il n'y pouvait atteindre :
Ils sont trop verts, dit-il, et bons pour des goujats.
      Fit-il pas mieux que de se plaindre ?
(Jean de La Fontaine, *Fables*, «le Renard et les Raisins».)

Commentaire

L'épiphrase a une valeur explicative. Émergence de l'énonciation dans l'énoncé, elle ouvre une brèche à la réflexion, créant ainsi une rupture dans le ton et l'unité du texte.

→ COMMENTAIRE, ÉNONCIATION, ÉPIPHONÈME.

épique (style)

C'est le style de l'épopée. Le style épique tend à magnifier les actions d'un héros. Il se caractérise par des descriptions amples, des récits aux mises en scène somptueuses, des actions d'éclat.

Exemple

Cependant la bataille est devenue plus dure.
Francs et païens échangent des coups prodigieux.
Les uns attaquent, les autres se défendent.
Tant de hampes brisées et sanglantes,
Tant de gonfanons déchirés et d'enseignes !
(La Chanson de Roland.)

Commentaire

Ce style si coloré permet au lecteur de voir de grands héros nationaux en action et de comprendre en quoi leur destinée a contribué à la gloire d'un peuple. Le style épique est souvent voisin du lyrisme.

→ LYRISME.

épithète   *nom fém.*

On désigne par *épithète* un adjectif qualificatif directement accolé au nom.

Exemple

Angèle croyait que son mari plaisantait. Il avait parfois le goût de la plaisanterie colossale et inquiétante. Elle riait mais avec un vague effroi, de voir ce petit homme se dresser au-dessus du géant couché à ses pieds, et lui montrer le poing, en pinçant uniquement les lèvres. (Émile Zola, *la Curée.*)

Commentaire

L'épithète fait bloc avec le nom pour former une unité de signification dans laquelle chacun des deux mots contamine le sens de l'autre.

→ ADJECTIF.

◆ épithète détachée

L'épithète détachée est un adjectif qualificatif séparé du nom ou du pronom par une virgule.

Exemple

Par les soirs bleus d'été, j'irai dans les sentiers,
Picoté par les blés, fouler l'herbe menue.
<u>Rêveur</u>, j'en sentirai la fraîcheur à mes pieds.
Je laisserai le vent baigner ma tête nue.
(Arthur Rimbaud, *Poésies*, « Sensation ».)

Commentaire

L'épithète détachée est fortement mise en relief par son indépendance à l'égard du nom. Ainsi valorisée, elle fonctionne comme un mot isolé au paroxysme de sa signification.

→ APPOSITION.

équivoque *nom fém.*

Mot ou phrase pouvant avoir un double sens.

« Cela est plaisant ! Je donnerais à ces paroles-là, moi, toute une autre interprétation, tant je les trouve équivoques. » (Marivaux, *la Surprise de l'amour,* acte III, sc. 2.)

Exemple

LE DR PANCRACE. — De quelle langue voulez-vous vous servir avec moi ?
SGANARELLE. — De quelle langue ?
LE DR PANCRACE. — Oui.
SGANARELLE. — Parbleu ! de la langue que j'ai dans la bouche ; je n'irai pas emprunter celle de mon voisin.
LE DR PANCRACE. — Je veux dire de quel idiome, de quel langage ?
(Molière, *le Mariage forcé*, sc. 4.)

Commentaire

Volontaire, l'équivoque, qui induit le doute chez le lecteur, peut être exploitée à des fins comiques ou dramatiques.
Involontaire, elle risque d'entraîner un contresens fâcheux sur une situation, un personnage ou une idée.

→ AMBIGUÏTÉ, AMPHIGOURI, ANTANACLASE, CALEMBOUR.

◆ rimes équivoques

On parle de *rimes équivoques* lorsque l'on choisit de faire rimer deux mots (ou groupes de mots) dont l'orthographe ou les sonorités sont identiques mais le sens différent.

Exemples

1. Je viens de faire un vers alexandrin,
   Qu'en penses-tu, mon cher Alexandre, hein?
   (Émile Littré.)

2. Et la mer est amère, et l'amour est amer,
   L'on s'abîme en l'amour aussi bien qu'en la mer.
   (Pierre de Marbeuf, *Recueil de vers*.)

Commentaire

Les rimes équivoques sont un jeu sur le langage. Acrobatie verbale qui produit un divorce entre le fond et la forme, elles créent une feinte pleine de subtilité dont les effets peuvent être exploités à des fins comiques ou esthétiques.

ésotérique (style)

Style des écrits dont le sens n'apparaît qu'aux initiés. L'emploi de nombreux symboles et références implicites en rend la traduction difficile.

Exemple

Chaleur obscure et chaleur lumineuse représentent les «deux dragons» de Nicolas Flamel, la chaleur obscure («dragon rouge») étant contenue dans le Fixe, et la chaleur lumineuse («dragon bleu») dans le Volatil. (René Schwaeblé, *la Sorcellerie pratique*.)

Commentaire

Le style ésotérique, assimilé au jargon le plus suspect par les non-initiés, permet à ceux qui le comprennent de se reconnaître dans une idéologie ou une expérience. Écartant les uns, il attire les autres par un langage qui les identifie et les valorise.

→ AMPHIGOURI, HERMÉTIQUE (style), JARGON.

est-ce que

Le tour *est-ce que* s'inscrit dans l'ordre de l'interrogation globale ou de l'interrogation partielle. Il permet d'éviter l'inversion du sujet (ex. 1). Il peut faire partie d'un système interrogatif plus élaboré: *qu'est-ce que, qui est-ce que/qui, est-ce que c'est... qui* (ex. 2).

Exemples

1. Est-ce que quelqu'un qui se sent poursuivi, qui se sent un assassin sur ses talons et qui s'attend à recevoir un coup mortel d'une seconde à l'autre, s'élance dans des espaces quasi planétaires comme la place de la Concorde? (Georges Simenon, *Maigret et son mort*.)

2. <u>Qu'était-ce que</u> cette espèce de bande en fuite laissant derrière elle cet enfant? (Victor Hugo, *l'Homme qui rit*.)

Commentaire

Mal reconnu dans la langue écrite, mais largement utilisé à l'oral, le tour *est-ce que*, souvent taxé de lourdeur, s'accompagne d'un effet de familiarité, parfois de décontraction. Dans tous les cas, il fortifie l'interrogation.

→ INTERROGATION.

être *(verbe)*

Le verbe *être*, en dehors de sa fonction d'auxiliaire, joue souvent le rôle d'un verbe passe-partout sur lequel le contexte projette de multiples significations (ex. 1).
Dans certains contextes, cependant, il peut être synonyme d'*exister* (ex. 2).

Exemples

1. Par les fenêtres du second étage qui <u>étaient</u> très grandes, Michelle Fléchard apercevait, le long des murs, des armoires qui lui semblaient pleines de livres. (Victor Hugo, *Quatrevingt-Treize*.)
2. Examinons donc ce point. Et disons: Dieu <u>est</u> ou il n'<u>est</u> pas; mais de quel côté pencherons-nous? (Blaise Pascal, *Pensées*, 418.)

Commentaire

Dans la construction sujet + verbe + attribut, le verbe *être* assure une fonction de relais entre le sujet et l'attribut dont il souligne la parenté. En construction absolue, il signifie *exister* au sens le plus fort du terme.

→ AVOIR.

étymologique (sens)

C'est le sens originel et historique d'un mot.

Exemple

La cour se fleurit de souci
Comme le front
De tous ceux-ci
Qui vont en rond
En flageolant sur leur fémur
<u>Débilité</u>
Le long du mur
Fou de clarté.
(Paul Verlaine, *Parallèlement*, «Autre».)

Sens étymologique du nom *débilité:* faiblesse physique.

Commentaire

La référence au sens étymologique d'un mot permet de superposer deux significations et de traduire ainsi des pensées subtiles, des images fortes.

euphémisme *nom masc.*

L'euphémisme consiste à atténuer ce qui est déplaisant ou considéré comme tel, à émousser la formulation désagréable d'un jugement.

Exemples

1. En Grèce, on essayait de se concilier les faveurs des Euménides (les Bienveillantes), qui en réalité étaient des Furies.
2. *Diantre* au lieu de *diable*.
3. Une longue maladie (= un cancer).

Commentaire

L'euphémisme permet d'atténuer la réalité choquante que l'on évoque. Il est souvent une précaution oratoire.

→ ANTIPHRASE, ATTÉNUATION, LITOTE.

exclamative (phrase)

La phrase exclamative obéit à la même syntaxe que la phrase affirmative. Cependant, elle ajoute à l'information une connotation affective qui se matérialise par un point d'exclamation.

Exemple

Oh! ces journées de neige! quelle transformation subite elles opéraient en nous, autour de nous!... Et quel frémissement courait sur les bancs de la classe dès les premiers flocons. (Francis Carco, *la Neige*.)

Commentaire

Tous les sentiments, toutes les émotions, à divers degrés, peuvent s'exprimer à travers une phrase exclamative. Éloquence, lyrisme et passion sont attachés à sa forme.

exhortation *nom fém.*

Figure de rhétorique qui vise à provoquer chez l'auditeur certains sentiments grâce à diverses ressources oratoires.
Les impératifs, les interjections, une ponctuation forte sont des manifestations de l'exhortation.

Exemple

Allez dans les hôpitaux [...] pour y contempler le spectacle de l'infirmité humaine; là, vous verrez en combien de sortes la maladie se joue de nos corps. Là, elle étend; là, elle retire; là, elle relâche; là, elle engourdit; là, elle arrête un corps perclus et immobile; là, elle le secoue tout entier par le tremblement. Pitoyable variété! diversité surprenante! Chrétiens, c'est la maladie qui se joue comme il lui plaît de nos corps, que le péché a abandonnés à ses cruelles bizarreries. <u>Ô homme, considère</u> le peu que tu es; <u>regarde</u> le peu que tu vaux... (Bossuet, *Oraisons funèbres*.)

Commentaire

L'exhortation prend à partie directement l'auditeur ou le lecteur. Elle le touche, car il est le destinataire du discours. Elle provoque en lui, suivant les cas, l'espoir, l'enthousiasme, une réflexion approfondie...

→ OPTATION, ORATOIRE (style).

exorde *nom masc.*

Entrée en matière, première partie d'un discours, l'exorde expose le sujet abordé et annonce le plan pour capter l'attention d'un auditoire. Il constitue l'introduction du sermon et de l'oraison funèbre chez les auteurs classiques. Il est largement utilisé dans les discours politiques et dans les plaidoiries.

« Un exorde doit être simple et sans affectation; cela est aussi vrai dans la poésie que dans les discours oratoires. » (Nicolas Boileau.)

Exemple

Monsieur le Président,

Me permettez-vous, dans ma gratitude pour le bienveillant accueil que vous m'avez fait un jour, d'avoir le souci de votre gloire et de vous dire que votre étoile, si heureuse jusqu'ici, est menacée de la plus honteuse et de la plus ineffaçable des taches?

(Émile Zola, *J'accuse...*, lettre ouverte à Félix Faure, président de la République, 13 janvier 1898.)

Commentaire

Conventionnel dans sa forme, déclamatoire dans le ton, l'exorde comme procédé de persuasion s'accompagne d'un effet oratoire à valeur dramatique. Il convient aux communications officielles en raison de sa tonalité solennelle et grandiloquente.

→ PÉRORAISON.

exotisme *nom masc.*

En littérature, recours à des scènes, des décors, des personnages qui évoquent des pays étrangers et lointains (ex. 1). Par extension, ce terme désigne ce qui, dans un texte, fait référence à un univers intellectuel ou géographique en opposition avec la couleur locale ou le cadre habituel (ex. 2).

Exemples

1. Sous les noirs acajous, les lianes en fleur,
   Dans l'air lourd, immobile et saturé de mouches,
   Pendent, et, s'enroulant en bas parmi les souches,
   Bercent le perroquet splendide et querelleur,
   L'araignée au dos jaune et les singes farouches.
   (Leconte de Lisle, *Poèmes barbares*, «le Rêve du jaguar».)

2. Le jour du dîner venu, le capitaine, en grande tenue, se rend chez le colonel et salue tout le monde sans proférer une parole [...] On était à table depuis trois heures. Le dessert allait succéder au troisième service [...] Tout à coup un effroyable cri sortit du sein du capitaine. Un plomb de chasse enfoui dans la chair de l'oiseau lui a brisé une molaire. «S... n... de millions de diables! s'écrie le grognard en montrant d'une main le plomb meurtrier, de l'autre la tête de la bécasse, voil à une sacrée drôlesse qui n'est pas morte de la rougeole!»
   (Jules Noriac, *le 101ᵉ Régiment*.)

Commentaire

L'exotisme permet, par le mécanisme de l'imagination, de mettre en place un univers étranger. Il présente un exceptionnel pouvoir suggestif. Chargé de pittoresque, il suggère l'évasion et le dépaysement. Dans l'exemple 2, il naît du contraste entre une situation très officielle (un dîner) et les paroles familières du capitaine.

→ COULEUR LOCALE, PITTORESQUE.

explétion *nom fém.*

L'explétion consiste à utiliser des mots grammaticaux qui ne sont pas indispensables au sens d'une phrase.

On qualifiera ainsi d'*explétif* le pronom personnel marquant l'intérêt et appelé aussi *datif éthique* (ex. 1), le *ne* explétif (ex. 2), la préposition *de* accompagnant une épithète ou une apposition (ex. 3), l'article dans *l'on* (ex. 4).

Exemples

1. Avez-vous vu comme je <u>te vous</u> lui ai craché à la figure? (Victor Hugo, *les Misérables*.)

2. Le lieutenant répondit militairement au salut sans qu'un muscle de sa figure <u>ne</u> bougeât. (Marcel Proust, *Jean Santeuil*.)

3. Qu'avaient ces déjeuners <u>de</u> si charmant? (André Gide, *Si le grain ne meurt*.)

4. <u>L'</u>on m'apporta tous les papiers d'Éléonore. (Benjamin Constant, *Adolphe*.)

Commentaire

Sous forme de datif éthique, l'explétion a une valeur affective : elle traduit l'intérêt ou la passion du sujet parlant, tout en impliquant l'interlocuteur dans le discours. Dans les autres cas, l'explétion donne à la phrase de l'élégance ou de l'affectation.

→ DATIF ÉTHIQUE.

F

factitif *adj.*

Un verbe est dit *factitif* lorsque le sujet commande, fait faire l'action mais ne l'exécute pas. Un verbe factitif s'accompagne généralement du verbe *faire*.

Exemple
Le maire veut construire une nouvelle école (= faire construire).

Commentaire
Une idée de dirigisme est attachée au verbe factitif qui, par sa construction, souligne le pouvoir du sujet dans l'action engagée.

familier (niveau de langue)

Un niveau de langue familier se permet quelques libertés avec la syntaxe et le vocabulaire. Souvent teinté de régionalisme, il est employé entre proches, amis ou collègues.

Exemple
— C'est affreux! gémit une petite femme en robe de chambre. Quand on pense que ça peut nous surprendre demain!
— Allons, allons, la rassura un voisin, pas la peine de s'affoler. Ça ne sert à rien. C'est terminé maintenant.
(Pierre Gamarra, *Six colonnes à la une.*)

Commentaire
L'emploi de la langue familière rapproche du lecteur. C'est un style affectif qui traduit les émotions du quotidien. (Voir aussi la table d'orientation, *langue populaire, niveau de langue.*)

féminine (rime)

On appelle traditionnellement ainsi une rime terminée par un *e* muet.

Rare et fameux esprit, dont la fertile <u>veine</u>
Ignore en écrivant le travail et la <u>peine</u>.
(Nicolas Boileau, *Satires,* 2.)

Commentaire
La rime féminine fait plus appel à l'œil qu'à l'oreille. Son effet est minime, car l'alternance des rimes masculines et féminines est traditionnelle.

→ ALTERNANCE, MASCULINE (rime).

fermée (voyelle)

En phonétique, les voyelles sont classées en fonction de leur degré d'ouverture. On distingue, de ce point de vue, les voyelles ouvertes et les voyelles fermées.
Sont dites *fermées* les voyelles [i] *(ivre)*, [e] *(bébé)*, [y] *(rude)*, [ø] *(peu)*, [u] *(boue)*, [o] *(rose)*.
La valeur phonétique et symbolique des sons est largement utilisée en poésie.

Exemple
Par les soirs bleus d'été, j'irai dans les sentiers,
Picoté par les blés, fouler l'herbe menue.
(Arthur Rimbaud, *Poésies,* «Sensation».)

Commentaire
Une voyelle fermée isolée ne produit généralement pas d'effet particulier. Seule la multiplication des voyelles fermées dans une phrase ou dans un vers peut suggérer des sensations aiguës de toute nature, que seul le contexte permettra de déchiffrer.

→ ASSONANCE, OUVERTE (voyelle), SONORITÉ.

figuré (sens)

Sens second d'un mot, généralement métaphorique. Il marque souvent un passage du concret à l'abstrait.
Le sens figuré est fréquemment de création populaire.

Exemples
1. Passer l'arme à <u>gauche</u> = mourir.
2. <u>Gauchir</u> un fait, une idée = les déformer.

Commentaire
Le sens figuré permet tout l'impact de l'image, en recueille tous les effets suggestifs.

→ CONNOTATION, MÉTAPHORE, PROPRE (sens).

formel (style)

Style qui témoigne d'un goût prononcé pour la forme au détriment de la richesse du sens. L'expression a pris une valeur péjorative car elle souligne indirectement la pauvreté de la pensée derrière le souci de la forme.

Exemple

Mademoiselle, ni plus ni moins que la statue de Memnon rendait un son harmonieux, lorsqu'elle venait à être éclairée des rayons du soleil: tout de même me sens-je animé d'un doux transport à l'apparition du soleil de vos beautés. (Molière, *le Malade imaginaire*, acte II, sc. 5.)

Commentaire

Impersonnel et rigide, le style formel donne au discours un ton cérémonieux, parfois grave, dont les effets peuvent être comiques si le contexte s'y prête.

→ ACADÉMIQUE (style).

franglais *nom masc.*

Ce mot a été forgé par René Étiemble à partir des mots *français* et *anglais*, pour attirer l'attention sur l'emploi fréquent de termes anglais dans la langue française.

Exemple

Je vais d'abord vous conter une manière de <u>short story</u>. Elle advint à l'un de mes <u>pals</u>, un de mes potes, quoi, tantôt chargé d'enquêtes <u>full-time</u>, tantôt chargé de recherches <u>past-time</u> dans une institution mondialement connue, le C.N.R.S. (René Étiemble, *Parlez-vous franglais?*)

Commentaire

Le franglais appartient à ces langues contemporaines qui mettent le discours au goût du jour. Phénomène de mode, il est vivement critiqué par les puristes, bien que certains voient en lui un procédé d'enrichissement de la langue. Son emploi peut également renvoyer aux littératures anglo-saxonnes.

→ EMPRUNT, NÉOLOGISME.

futur *nom masc.*

Le futur de l'indicatif a une valeur temporelle et une valeur d'aspect. Ses désinences sont toujours -*rai, -ras, -ra, -rons, -rez, -ront*. À l'origine, en latin vulgaire, le futur a été forgé à partir de l'infinitif auquel ont été ajoutées les formes de l'indicatif présent du verbe *habere,* «avoir».

Exemple

Ils le regretter<u>ont</u>, dit ma mère. Ils s<u>eront</u> confondus. Ton nom se<u>ra</u> un jour gravé en lettres d'or sur les murs du lycée. (Romain Gary, *la Promesse de l'aube*.)

Commentaire

Le futur correspond à une action envisagée dans l'avenir (valeur temporelle). Temps de l'indicatif, il envisage l'action future sous l'angle de la certitude (valeur d'aspect).

G

galimatias *nom masc.*

Discours, écrit confus et désordonné, aux idées souvent inintelligibles. Ce qui rend le galimatias incompréhensible, c'est davantage l'incohérence de la pensée que l'expression proprement dite.

« Ton sonnet n'est qu'un pompeux galimatias ; et il y a dans ta préface des expressions trop recherchées, des mots qui ne sont point marqués au coin du public, des phrases entortillées, pour ainsi dire. » (Alain René Lesage, *Gil Blas de Santillane.*)

Exemple

Ainsi va la science, cher monsieur. Car, qu'on le veuille ou non, la science, en ces disciplines, qui en font pourtant la force principale, laisse parfois planer quelque doute quant à l'exactitude de ses précisions et inversement.

C'est pourtant vrai que, à part les mathématiques, plus ou moins spéciales ou du commerce, qui sont réputées exactes, les autres, en leur ensemble, ont moins bonne réputation, et marqueraient plutôt une nette tendance à l'approximative en ce qui concerne la relative inexactitude de leurs disciplines respectives, bien que dignes de respect.

(Pierre Dac, *Dialogue en forme de tringle,* in *Pierre Dac* de Jacques Pessis.)

Commentaire

Le galimatias traduit fréquemment un désir d'éloquence chez un locuteur qui ne domine pas son sujet. Ce désordre de la langue et de la pensée, chargé d'emphase, a une valeur comique ou satirique.

→ AMPHIGOURI, JARGON.

gastronomique (style)

Ce style, créé par des journalistes tenant les rubriques gastronomiques, se caractérise par une abondance de descriptions culinaires, de notations et connotations gourmandes, en même temps qu'il affecte un certain détachement objectif par rapport à ce dont il traite.

Une sensationnelle crème d'algues aux huîtres à l'essence de palourdes, une tête de veau en forme de turban qu'émoustillent une sauce gribiche et la meilleure compote de choux qu'on puisse rêver... (Gault et Millau, *Guide France 1990*.)

Commentaire

Ce style, dont l'objectif est d'informer le lecteur, essaie en réalité, par le recours à une argumentation implicite très dominée, de faire admettre critiques et louanges par un lecteur gastronome, ignorant du lieu qu'on lui décrit.

géminées (consonnes)

On appelle *géminées* deux consonnes identiques et consécutives prononcées.

Exemple

Elle est frissonnante comme un taffetas. (Jean Genet, *Notre-Dame-des-Fleurs*.)

Commentaire

L'abondance des géminées dans une phrase ou dans un groupe de mots produit essentiellement un effet visuel : la lettre est non plus perçue comme un son mais comme un dessin dont la répétition attire l'œil et donne au mot une valeur plastique.

généralité *nom fém.*

Propos vague, dépourvu de signification précise. Ce mot a souvent une connotation péjorative.

Exemple

— Vos amis sont charmants, ai-je dit. J'ai passé une excellente soirée.
— Tant mieux.
Cette fois-ci, il me tendait la main.
— Il faut que je rentre travailler.
— À quoi ?
— Rien d'intéressant. De la comptabilité.
— Bon courage, ai-je murmuré. J'espère vous revoir un de ces jours.
— Avec plaisir, monsieur.
Au moment où il poussait la grille, je me suis senti en proie au vertige : lui taper sur l'épaule et lui expliquer en détail tout le mal que je m'étais donné pour le retrouver.
(Patrick Modiano, *les Boulevards de ceinture*.)

Commentaire

Par sa pauvreté, la généralité produit un effet de vide qui confère au discours un caractère absurde. Cependant, elle est parfois l'expression occultée d'un message crucial. Parole masquée, elle devient alors tragique ou comique, selon le contexte.

→ BANALITÉ, CLICHÉ, LIEU COMMUN.

gérondif *nom masc.*

Le gérondif se confond avec le participe présent pour la forme, mais il est en règle générale précédé de la préposition *en*.

Exemple

Vous voyez, Lecteur, qu'il ne tiendrait qu'à moi de vous faire attendre un an, deux ans, trois ans, le récit des amours de Jacques, en le séparant de son maître et en leur faisant courir à chacun tous les hasards qu'il me plairait. (Denis Diderot, *Jacques le Fataliste*.)

Commentaire

Le gérondif a une valeur circonstancielle (cause, manière, moyen...). Il peut être remplacé soit par des noms compléments circonstanciels du verbe principal, soit par des propositions subordonnées conjonctives, compléments circonstanciels du verbe principal.

→ PARTICIPE.

gradation *nom fém.*

C'est une énumération organisée qui peut être ascendante ou descendante.

Exemples

1. Va, cours, vole, et nous venge.
   (Pierre Corneille, *le Cid*, acte I, sc. 5.)
2. Le lait tombe ; adieu veau, vache, cochon, couvée.
   (Jean de La Fontaine, *Fables,* « la Laitière et le Pot au lait ».)

Commentaire

La gradation traduit généralement des sentiments forts. Ascendante (ex. 1), elle exprime l'enthousiasme ; descendante (ex. 2), le désespoir, la lassitude.

→ ÉNUMÉRATION.

guillemet *nom masc.*

L'imprimeur Guillaume aurait inventé ce signe de ponctuation. On distingue le guillemet *ouvrant*, qui précède le mot ou l'expression, et le guillemet *fermant*, qui le suit.

En typographie, les guillemets s'emploient surtout pour encadrer une citation, un dialogue rapporté, isoler un titre d'œuvre, de journal, un mot, une expression.

Exemple

On l'appelait «Fleur-de-Marie», mots qui en argot signifient la «Vierge». (Eugène Sue, *les Mystères de Paris.*)

Commentaire

Les guillemets permettent d'attirer l'œil du lecteur sur le mot ou l'expression encadrés : ils ont une fonction d'appel et de mise en relief.

→ ITALIQUE.

harmonie imitative

Elle consiste à rendre, par le rythme et la sonorité des mots, tel ou tel caractère de certains phénomènes du monde extérieur. Ainsi, quelques consonnes dures peuvent exprimer des bruits secs, des mouvements saccadés ; d'autres consonnes plus douces traduiront des glissements, des sifflements... Par ailleurs, on distinguera des voyelles claires *(é, in)*, éclatantes *(an, a, oi)*, sombres *(on, ou, u)*, aiguës *(i, u)*.

Exemples

1. Sonnez, sonnez toujours, clairons de la pensée.
   (Victor Hugo, *les Châtiments*.)
2. Ce sont les cadets de Gascogne
   De Carbon de Castel-Jaloux
   (Edmond Rostand, *Cyrano de Bergerac*, acte II, sc. 7.)
3. Assoupi de sommeils touffus
   (Stéphane Mallarmé, *l'Après-Midi d'un faune*.)
4. Tout m'afflige et me nuit, et conspire à me nuire.
   (Jean Racine, *Phèdre*, acte I, sc. 3.)
5. J'ai connu la tranchée et les chars.
   (Louis Aragon, *Elsa*.)
6. Tout vous est aquilon, tout me semble zéphyr.
   (Jean de La Fontaine, *Fables*, «le Chêne et le Roseau».)

Commentaire

L'harmonie imitative n'est pas difficile à analyser. Ainsi, les voyelles peuvent exprimer la légèreté ou la clarté (ex. 1), l'éclat (ex. 2), l'étouffement ou la mollesse (ex. 3), l'angoisse ou la douleur (ex. 4) ; les consonnes traduisent la rudesse, le craquement (ex. 5), la douceur de la caresse (ex. 6). Certaines rencontres de lettres sont particulières : on les appelle *allitération, assonance, hiatus*. (Voir aussi la table d'orientation, *son, versification*.)

hémistiche *nom masc.*

Ce mot vient de deux mots grecs: *hêmi*, «moitié», et *stikhos*, «vers». Un hémistiche est la moitié d'un vers.

Dans l'alexandrin classique, la césure sépare le vers en deux hémistiches de six syllabes chacun. Un hémistiche comporte d'ordinaire deux accents: l'un est situé à la césure; l'autre, dit *secondaire*, est plus mobile.

Exemple
Mon âme a son secret, / ma vie a son mystère.
(Félix Arvers, *Mes heures perdues*, «Sonnet imité de l'italien».)

Commentaire
Le partage d'un vers en deux parties égales crée un effet de symétrie qui n'exclut pas cependant les variations rythmiques. L'hémistiche offre un cadre strict dans lequel le poète peut se montrer créatif. (Voir aussi la table d'orientation, *versification*.)

hendécasyllabe *nom masc.*

Un vers de onze syllabes est extrêmement rare. Son rythme comporte deux mesures: 4 + 7 ou, plus fréquemment, 5 + 6.

Exemple
J'avais des soirs de tragédie de larmes et de piqûres d'orties
De vrais chagrins au fond des nuits de mes nuits
(Alain Souchon, *C'était un soir*.)

Commentaire
Ce vers, longtemps délaissé, peut donner l'impression d'être un alexandrin boiteux. Il exprime le désarroi du poète, grâce à son étrange rythme.

→ IMPAIR (vers).

heptasyllabe *nom masc.*

Ce vers de sept syllabes se rencontre surtout depuis le Moyen Âge dans les chansons ou les fables.

Exemple
Autrefois le Rat de ville
Invita le Rat des champs,
D'une façon fort civile,
À des reliefs d'ortolans.
(Jean de La Fontaine, *Fables*, «le Rat de ville et le Rat des champs».)

Commentaire

Ce vers très court permet des peintures ou des récits alertes.

→ IMPAIR (vers).

hermétique (style)

Un style est dit *hermétique* lorsque ce qu'il exprime n'est accessible qu'à une minorité d'initiés ou de spécialistes.

Exemple

Si l'on admet — ce qui ne va pas de soi — que le discours littéraire constitue une classe autonome à l'intérieur d'une typologie générale des discours, sa spécificité peut être considérée soit comme la visée ultime (qui ne sera atteinte que par étapes) d'un métadiscours de recherche, soit comme un postulat a priori permettant de circonscrire par avance l'objet de connaissance visé. (A. J. Greimas et J. Courtés, *Dictionnaire raisonné de la théorie du langage*.)

Commentaire

Le style hermétique, par son caractère énigmatique, peut impressionner ou même décourager un lecteur profane. Dans tous les cas, il exige un gros effort de concentration.
Savamment utilisé, il présente cependant une incontestable valeur dramatique dont on peut exploiter les effets dans le cadre des discours officiels ou de la comédie.

→ AMPHIGOURI, ÉSOTÉRIQUE (style), JARGON.

hexasyllabe *nom masc.*

Ce vers de six syllabes apparaît au Moyen Âge dans les chansons. À notre époque, il alterne souvent avec des alexandrins ou des octosyllabes.

Exemple

Dans un palais d'aventurine
    <u>Où se mourait le jour,</u>
Avez-vous vu Boudroulboudour,
    <u>Princesse de la Chine,</u>
Plus blanche en son pantalon noir
    <u>Que nacre sous l'écaille ?</u>
(Paul-Jean Toulet, *Contrerimes*.)

Commentaire

Ce vers précieux permet de varier les rythmes, en accrochant à des vers plus longs des réflexions pleines d'esprit ou de finesse.

hiatus *nom masc.*

Heurt de deux voyelles ou de deux diphtongues dont l'une finit un mot et dont l'autre commence le mot suivant. On peut aussi repérer des hiatus intérieurs aux mots.

Exemple

Le temple est en ruine <u>au</u> <u>haut</u> du promontoire.
(José Maria de Heredia, *les Trophées*.)

Commentaire

L'hiatus, le plus souvent proscrit dans la poésie classique, est toléré pour des raisons d'harmonie imitative dans la poésie moderne. Lorsque des voyelles identiques se succèdent, il est parfois possible, par exemple pour introduire un infinitif, de varier la préposition (ici, *de* au lieu de *à*) : « Elle l'obligea <u>d</u>'admettre qu'elle l'avait compris. » (Philippe Hériat, *la Famille Boussardel*.)
Notons enfin quelques hiatus internes à l'agrément discutable : *Héloïse, aorte, fluide, méandre.*

→ CACOPHONIE, DIÉRÈSE, JEU DE MOTS.

holorime *adj.*

On dit que des vers sont *holorimes* lorsqu'ils riment par toutes leurs syllabes.

Exemple

Sceaux d'homme égaux morts
Seaux d'eau mégots morts
(Jacques Prévert, *la Pluie et le Beau Temps*.)

Commentaire

Ces vers qui riment dans leur totalité tiennent autant de l'acrobatie verbale que de la poésie. La surprise qui naît des accrochages sémantiques différents renvoie à la technique du calembour et plus généralement à l'homophonie. Les vers holorimes les plus réussis sont ceux qui, se défiant des facilités du jeu, créent à l'intérieur du vers des échos sémantiques et des variations rythmiques.

→ CALEMBOUR, JEU DE MOTS, RICHES (rimes).

homéotéleute *nom fém.*

Du grec *homoios,* « même, semblable », et *teleutê,* « fin ». L'homéotéleute désigne le retour, à la finale d'un mot et à intervalles plutôt réguliers, d'un même son à l'intérieur de la même phrase ou du même vers.

Exemples

1. Nous, enfin! qui, march<u>ant</u> et nous batt<u>ant</u> à jeun,
   Ne cessions de marcher... — Enfin! j'en vois donc un! —
   Que pour nous b<u>attre</u>, et de nous b<u>attre</u> un contre qu<u>atre</u>,
   March<u>ant</u> et nous batt<u>ant</u>, maigres, nus, noirs et gais...
   Nous, nous ne l'étions pas, peut-être, fatigués?...
   (Edmond Rostand, *l'Aiglon*.)

2. Je veux... Que vous tombiez dans la bradypeps<u>ie</u>... De la bradypeps<u>ie</u>
   dans la dyspeps<u>ie</u>... De la dyspeps<u>ie</u> dans l'apeps<u>ie</u>... De l'apeps<u>ie</u> dans
   la lienter<u>ie</u>... (Molière, *le Malade imaginaire*, acte III, sc. 5.)

3. Sauciss<u>on</u> Fleury-Michon
   Ce s<u>ont</u> des charcutiers qui le f<u>ont</u>.
   (Publicité, 1984.)

Commentaire

Le retour à intervalles réguliers d'un même son n'est supportable
que s'il est voulu. Il peut produire des effets différents : il permet
d'insister sur une situation, une idée ou une impression (ex. 1), de
s'en moquer (ex. 2). Il peut aussi être utilisé dans les argumen-
taires publicitaires dont il renforce l'efficacité persuasive (ex. 3).

→ ALLITÉRATION, ASSONANCE, RÉPÉTITION, RIME.

homonyme *nom masc.*

Les homonymes sont des mots qui se prononcent de la même
façon mais qui ont des sens différents.

Exemples

1. Seau/sot/sceau/saut.
2. Le page/la page.
3. Je <u>hais</u> les <u>haies</u> qui sont des murs. (Raymond Devos.)

Commentaire

La plupart des homonymes ont des graphies différentes (ex. 1).
Cependant, on compte aussi parmi les homonymes les homo-
graphes (ex. 2) dont l'orthographe est semblable : ce sont des
mots dont l'étymologie est différente, parfois même la catégorie
grammaticale ou le genre. Les homonymes peuvent donner naissance à des jeux de mots (ex. 3).

→ HOMOPHONE, JEU DE MOTS.

homophone *nom masc.*

Ce mot vient du grec *homoios,* «même», et *phonê,* «son». Ainsi,
deux mots ou groupes de mots sont homophones lorsqu'ils
comportent les mêmes sons.

Exemples

1. Naturiste : corps sage sans corsage. (Alain Finkielkraut, *Ralentir : mots-valises !*)

2. Geai laisse poire toux te foie d'art haché tonna demie rat si on part mont nez loque anse. (Charles Fourier, *Lettre à sa cousine Laure.*)

Commentaire

Jeu sur les mots et sur les sens, l'homophonie participe de l'acrobatie verbale (ex. 1), instaure une surprise à l'intérieur d'un texte, en bouleversant les habitudes de lecture. Elle peut avoir des effets poétiques ou humoristiques (ex. 2).

→ HOMONYME, JEU DE MOTS, PARAPHONIE.

hypallage *nom fém.*

Cette figure de style consiste à rattacher à certains mots des attributs qui concernent d'ordinaire d'autres mots, sans que l'on puisse se méprendre sur le sens global de la phrase.

Exemples

1. L'odeur neuve de ma robe. (Valéry Larbaud, *Enfantines.*)

2. Est-ce que tu es sucré ?

Commentaire

L'hypallage permet de déplacer des mots, surtout des adjectifs, ce qui a pour conséquence de créer une surprise, d'inventer une image ou une nouvelle réalité. Si ce procédé est surtout utilisé à des fins poétiques (ex. 1), on le reconnaît aussi dans le langage quotidien où il permet des raccourcis d'expression (ex. 2). L'abus de l'hypallage aboutit toutefois au non-sens.

hyperbate *nom fém.*

Figure de style qui consiste à renverser l'ordre attendu des éléments d'une phrase, à produire une construction lexicale originale, voire insolite.

Exemple

Elle a vécu, Myrto, la jeune Tarentine.
(André Chénier, *Bucoliques,* « la Jeune Tarentine ».)

Commentaire

Ce choix particulier de la place des mots permet de mettre en valeur un élément sémantique, généralement un nom ou un adjectif. L'anastrophe est un type d'hyperbate.

→ ANASTROPHE, INVERSION, ORDRE DES MOTS.

hyperbole *nom fém.*

Figure de style qui permet d'exprimer une idée ou un sentiment avec exagération. Elle utilise des termes excessifs, des comparaisons irréalistes et des superlatifs abusifs.

Exemples

1. L'éternité pour moi ne sera qu'un instant.
   (Jean-Baptiste Rousseau, *Épode.*)
2. C'était Lagardère, le beau Lagardère, le casseur de têtes, le bourreau des cœurs. (Paul Féval, *le Bossu.*)
3. Mettez un tigre dans votre moteur. (Publicité Esso, années 60.)

Commentaire

L'hyperbole est un des fruits de l'imagination. On la rencontre fréquemment dans les métaphores et les comparaisons. Pour qu'elle reste crédible, on ne doit pas en abuser. Sa hardiesse, sa fantaisie inventive en font un atout poétique (ex. 1) ou romantique (ex. 2). Cependant, la fréquence de son emploi aboutit à un appauvrissement de son sens et de ses effets, surtout dans les langages nouveaux des médias : publicité (ex. 3), journalisme...

→ AMPLIFICATION, EMPHASE.

hypotypose *nom fém.*

Ce terme de rhétorique désigne une description animée et frappante. Bien souvent, l'objet ou la scène — avant d'être nommés — sont décrits par des notations éparses et fortement pittoresques.

Exemple

Les pieds dans les glaïeuls, il dort. Souriant comme
Sourirait un enfant malade, il fait un somme.
Nature, berce-le chaudement : il a froid.
Les parfums ne font pas frissonner sa narine ;
Il dort dans le soleil, la main sur sa poitrine
Tranquille. Il a deux trous rouges au côté droit.
(Arthur Rimbaud, *Poésies,* « le Dormeur du val ».)

Commentaire

La description très visuelle offerte par l'hypotypose privilégie la surprise de la découverte, retarde l'instant où le lecteur peut nommer définitivement l'objet, en le promenant dans les méandres de l'interprétation, de la supposition.

→ AMPLIFICATION.

hypozeuxe *nom fém.*

Ce terme désigne une série de constructions identiques et parallèles, dans lesquelles on ne répète pas les mêmes mots.

Exemple

Les hommes passent pour être bien féroces et les tigres aussi ; mais <u>ni les tigres, ni les vipères, ni les diplomates, ni les gens de justice, ni les bourreaux, ni les rois</u> ne peuvent, dans leurs plus grandes atrocités, approcher <u>des cruautés douces, des douceurs empoisonnées, des mépris sauvages des demoiselles entre elles</u> quand les unes se croient supérieures aux autres en naissance, en fortune, en grâce, et qu'il s'agit de mariage, de préséance, enfin des mille rivalités de femme. (Honoré de Balzac, *Pierrette*.)

Commentaire

La superposition des structures introduit dans l'énoncé un rythme, un mouvement, en même temps qu'un parallélisme de sens. L'hypozeuxe est fort répandue dans l'art oratoire.

il y a

Le présentatif *il y a* s'utilise pour constater l'existence d'une chose, d'un être ou d'un phénomène.

Exemple

Au rez-de-chaussée de la pension, <u>il y avait</u> encore de la lumière dans le salon. (Patrick Modiano, *Dimanches d'août*.)

Commentaire

En raison de sa tournure impersonnelle, l'expression *il y a* neutralise l'objet, la personne ou la notion dont elle constate l'existence.

→ AVOIR, C'EST.

image *nom fém.*

Procédé d'écriture qui révèle un rapport d'analogie entre deux choses ou deux êtres étrangers l'un à l'autre.

Exemple

Je suis un cimetière abhorré de la lune,
Où comme des remords se traînent de longs vers
Qui s'acharnent toujours sur mes morts les plus chers.
Je suis un vieux boudoir plein de roses fanées,
Où gît tout un fouillis de modes surannées,
Où les pastels plaintifs et les pâles Boucher,
Seuls, respirent l'odeur d'un flacon débouché.
(Charles Baudelaire, *les Fleurs du mal*, « Spleen ».)

Commentaire

L'image produit fréquemment un effet choc car elle permet d'exprimer visuellement des notions abstraites. Elle révèle l'unité profonde du monde, en mettant au jour des correspondances dont l'évocation peut être pittoresque, bouleversante, comique, etc., selon le contexte. (Voir aussi la table d'orientation.)

impair (vers)

Vers dont le nombre de syllabes est impair. Parmi eux, on reconnaît des *trisyllabes* (vers de trois syllabes), des *pentasyllabes* (vers de cinq syllabes), des *heptasyllabes* (vers de sept syllabes), des *ennéasyllabes* (vers de neuf syllabes) et des *hendécasyllabes* (vers de onze syllabes).

Exemple

De la musique avant toute chose,
Et pour cela préfère l'Impair
Plus vague et plus soluble dans l'air,
Sans rien en lui qui pèse ou qui pose.
(Paul Verlaine, *Jadis et Naguère,* «Art poétique».)

Commentaire

L'asymétrie des vers impairs permet au poète d'exprimer de nouveaux rapports au monde, plus déstructurés, plus volatiles, et sa propre recherche d'équilibre. Le vers impair entérine par son étrangeté l'abandon de règles jugées trop classiques au milieu du XIXe siècle. (Voir aussi la table d'orientation, *versification.*)

imparfait   *nom masc.*

L'imparfait de l'indicatif est un temps du passé de forme simple. Il exprime une action achevée qui dure ou qui se répète à intervalles réguliers.

Exemple

Quand le soir <u>approchait,</u> je <u>descendais</u> des cimes de l'île, et j'<u>allais</u> volontiers m'asseoir au bord du lac sur la grève, dans quelque asile caché; là, le bruit des vagues et l'agitation de l'eau, fixant mes sens et chassant de mon âme toute autre agitation, la <u>plongeaient</u> dans une rêverie délicieuse, où la nuit me <u>surprenait</u> souvent sans que je m'en fusse aperçu. (Jean-Jacques Rousseau, *Rêveries du promeneur solitaire.*)

Commentaire

L'imparfait, qui opère un retour sur le passé, s'accompagne souvent d'une tonalité nostalgique. Par sa référence très précise à une époque révolue, il peut prendre la valeur mythique de ce qui n'est plus.

→ ASPECT, DURATIF, PASSÉ SIMPLE, PLUS-QUE-PARFAIT.

impératif (mode)

Mode verbal utilisé pour traduire l'ordre, la prière, l'exhortation.

Exemple

<u>Frappez</u> sans pitié, vous serez craint. <u>N'acceptez</u> les hommes et les femmes que comme des chevaux de poste que vous laisserez crever à chaque relais, vous arriverez ainsi au faîte de vos désirs. Voyez-vous, vous ne serez rien ici si vous n'avez pas une femme qui s'intéresse à vous. Il vous la faut jeune, riche, élégante. Mais si vous avez un sentiment vrai, <u>cachez</u>-le comme un trésor ; ne le <u>laissez</u> jamais soupçonner, vous seriez perdu [...] Si jamais vous aimiez, <u>gardez</u> bien votre secret ! ne le <u>livrez</u> pas avant d'avoir bien su à qui vous ouvrirez votre cœur. Pour préserver par avance cet amour qui n'existe pas encore, <u>apprenez</u> à vous méfier de ce monde-ci. (Honoré de Balzac, *le Père Goriot*.)

Commentaire

Expression d'un sentiment fort, l'impératif projette vigueur, autorité ou émotion sur le texte. Simultanément, l'absence du pronom sujet fortifie le verbe qui atteint ainsi son plus haut degré de signification. Par sa puissance, il marque solidement le rythme de la phrase ou du vers.

impersonnelle (construction)

Construction dans laquelle on utilise un verbe impersonnel (par ex. *il faut*), ou bien dans laquelle on évite une construction personnelle en ayant recours au pronom neutre *il*. Ce type de construction est largement utilisé dans la langue administrative et juridique.

Exemple

Mais là où <u>il faut saisir les habitudes de vie d'un peuple</u>, sa manière d'être habituelle, c'est dans la presse quotidienne, qui représente exactement la physionomie intime du pays. Or, la presse offre maintenant des exemples journaliers de la plus mauvaise éducation.
C'est à elle, au contraire, qu'<u>il devrait appartenir de donner l'Exemple des formes les plus irréprochables</u>, et cela par l'excellente raison que les journalistes ont pour métier de bien écrire !
(Guy de Maupassant, *Chroniques*.)

Commentaire

Une construction impersonnelle est souvent un artifice de langage qui permet à un auteur de rester en retrait par rapport à ce qu'il avance et d'afficher une neutralité d'emprunt.

→ ADMINISTRATIF (style), PERSONNELLE (construction).

imprécation *nom fém.*

On appelle *imprécation* l'expression violente de la haine, de la colère ou du désir de vengeance.

Exemple

Crèvent les porcs! Crèvent les chèvres! Tombe l'olive! Sèchent les fèves!
Les femmes stériles! Les hommes borgnes! Les vieux tout tordus! La
grêle sur la vigne! La pépie du poulailler! Les rats dans la cave! Le feu
dans la grange! Le tonnerre sur l'église! (Marcel Pagnol, *Manon des
Sources*.)

Commentaire

L'imprécation, par son caractère passionné, par sa formulation
exacerbée, impressionne ou émeut, selon le cas. Elle a, par nature,
un fort pouvoir dramatique.

impressionniste (style)

Un style est dit *impressionniste* lorsqu'il procède par petites
touches délicates pour produire une impression d'ensemble.

Exemple

À travers le passé ma mémoire t'embrasse.
Te voici. Tu descends en courant la terrasse
Odorante, et tes faibles pas s'embarrassent
   Parmi les fleurs.
(Paul-Jean Toulet, *Contrerimes*.)

Commentaire

Le style impressionniste, par sa légèreté, produit un effet de trans-
parence qui convient admirablement à l'évocation des situations
ou des sentiments fugitifs. Art de suggérer plutôt que de dire, il
utilise abondamment l'image et l'allusion.

→ ALLUSION, IMAGE.

impropriété   *nom fém.*

Erreur qui consiste à utiliser un mot à la place de celui qui est
attendu dans la phrase.

Exemple

Le proviseur a fait <u>éruption</u> dans la salle.

Commentaire

En introduisant, dans un contexte précis, un mot inadapté, l'impropriété crée un effet de dissonance qui peut aller jusqu'au dysfonctionnement du texte. (Voir aussi la table d'orientation,
incorrection, maladresse.)

incantatoire (style)

Se dit d'un style dont les accents rappellent autant la prière, le commandement que la poésie lyrique ou épique. Le style incantatoire se caractérise par un rythme très marqué et par l'utilisation des figures de rhétorique les plus classiques : chiasmes, énumérations, répétitions...

Exemple

Ombres plus anciennes, savantes et militaires, des empereurs Tang ; tumulte des cours où se heurtaient toutes les religions et toutes les magies du monde, penseurs taoïstes, reines fixées aux murs par les flèches rugueuses, cavaliers aux armes ornées de queues de cheval, généraux morts sous des tentes perdues au Nord après soixante victoires, sépultures que ne gardent plus, au milieu du désert, que leurs soldats et leurs chevaux gravés sur les dalles disjointes, chants désolés, lances parallèles et peaux de bêtes avançant à travers les vastes terres stériles dans la nuit glacée, que ne retrouverai-je de votre sourd élan de conquêtes, vestiges ? (André Malraux, *la Tentation de l'Occident.*)

Commentaire

Puissamment suggestif, le style incantatoire plonge le lecteur dans l'univers magique et mystique de la litanie. Cependant, il peut paraître vieilli, à une époque où l'on privilégie dans l'écriture un plus grand naturel.

incise   *nom fém.*

Une incise est une courte proposition intercalée dans la phrase ou rejetée à la fin. Elle permet de rapporter les paroles ou la pensée de quelqu'un.

Exemple

« Qu'importe de qui soit la lettre anonyme ! <u>s'écria-t-il avec fureur,</u> le fait qu'elle me dénonce en existe-t-il moins ? Ce caprice peut changer ma vie », <u>dit-il</u>, comme pour s'excuser d'être tellement fou... (Stendhal, *la Chartreuse de Parme.*)

Commentaire

La proposition incise interrompt le rythme de la phrase pour faire référence à celui qui parle. Elle met en valeur les modalités d'expression d'un personnage et souligne indirectement un trait de caractère ou une situation psychologique.

incorrection   *nom fém.*

On appelle *incorrection* une forme qui ne respecte pas les règles de la grammaire.

Exemple

Dès que le vent soufflera <u>je repartira</u>
Dès que les vents tourneront <u>nous nous en allerons</u>.
(Renaud, *Dès que le vent soufflera.*)

Commentaire

Lorsqu'elle est involontaire, l'incorrection donne l'impression de dégrader la langue et d'en menacer le bon fonctionnement. Cependant, elle peut être utilisée volontairement, par provocation ou par dérision : elle est alors plus comique que menaçante. Enfin, on peut ne pas rester insensible à l'étrange poésie qu'elle dégage parfois en ouvrant la langue à des formes inconnues. (Voir aussi la table d'orientation.)

indicatif (mode)

Lorsqu'un verbe est à l'indicatif, il situe l'action dans l'ordre du réel, sous l'angle de la certitude passée, présente ou future.

Exemple

Jusqu'à douze ans, je ne me <u>vois</u> aucune amourette, sauf pour une petite fille, nommée Carmen, à qui je <u>fis</u> tenir, par un gamin plus jeune que moi, une lettre dans laquelle je lui <u>exprimais</u> mon amour. (Raymond Radiguet, *le Diable au corps.*)

Commentaire

Le mode indicatif a une valeur effective. Contrairement aux modes conditionnel et subjonctif, plus « intellectuels », il considère le monde comme une réalité historique et géographique dans laquelle les événements ou les idées ont une existence objective.

indirect (style)

On appelle *style indirect* le procédé qui consiste à rapporter les paroles de quelqu'un sous la forme d'une proposition que l'on subordonne à un verbe comme *dire, demander, répondre, prévoir, déclarer, proposer,* etc.

Exemple

J'avais le défaut d'être excessivement timide et facile à déconcerter ; mais loin d'être arrêté alors par cette faiblesse, je m'avançai vers la maîtresse de mon cœur. Quoiqu'elle fût encore moins âgée que moi, elle reçut mes politesses sans paraître embarrassée. <u>Je lui demandai ce qui</u> l'amenait à Amiens <u>et si</u> elle y avait quelques personnes de connaissance. <u>Elle me répondit ingénument qu'elle</u> y était envoyée par ses parents pour y être religieuse. (Abbé Prévost, *Histoire du chevalier Des Grieux et de Manon Lescaut.*)

Commentaire

Le style indirect, par sa forme détournée, atténue la force dramatique de la parole. Narratif, il accentue la facture romanesque du discours et permet de vastes mouvements rythmiques.

◆ style indirect libre

Le style indirect libre permet de rapporter indirectement les paroles d'une personne dans un récit en supprimant la subordination.

Exemple

Rieux répondit qu'il n'avait pas décrit un syndrome, il avait décrit ce qu'il avait vu. Et ce qu'il avait vu c'était des bubons, des taches, des fièvres délirantes, fatales en quarante-huit heures. Est-ce que M. Richard pouvait prendre la responsabilité d'affirmer que l'épidémie s'arrêterait sans mesures de prophylaxie rigoureuses ? (Albert Camus, *la Peste.*)

Commentaire

Le style indirect libre joint à la vivacité de la parole le lyrisme attaché à la forme narrative. Par sa nature mixte, il traduit chez l'auteur un souci esthétique, un goût pour les raffinements de la langue.

→ DIRECT (style).

infinitif (mode)

L'infinitif présente le verbe sous sa forme inactualisée. Sa valeur dépend donc du contexte dans lequel il apparaît.

Exemple

Plus l'esprit s'éclairait, et plus l'industrie se perfectionna. Bientôt, cessant de s'endormir sous le premier arbre, ou de se retirer dans des cavernes, on trouva quelques sortes de haches de pierres dures et tranchantes qui servirent à couper du bois, creuser la terre, et faire des huttes de branchages qu'on s'avisa ensuite d'enduire d'argile et de boue. (Jean-Jacques Rousseau, *Discours sur l'origine de l'inégalité.*)

Commentaire

L'infinitif, qui est la forme la plus figée du verbe, se rapproche de la catégorie du nom. Par l'absence d'indices sur la personne, le nombre et le temps, il se réduit la plupart du temps à l'état de notion. Ce statut ambigu le place entre la catégorie du verbe et celle du nom.

injonction *nom fém.*

On dit qu'une phrase est *injonctive* lorsqu'elle exprime un ordre, une sommation, une suggestion, une prière.

Exemples

1. Fais éternellement ta longue et lourde tâche
   Dans la voie où le Sort a voulu t'appeler.
   Puis après, comme moi, souffre et meurs sans parler.
   (Alfred de Vigny, *la Mort du loup*.)
2. Tu ne tueras point. (La Bible.)

Commentaire

Si l'impératif (ex. 1) semble être le mode de l'injonction, il ne faut pas oublier la valeur d'aspect du futur de l'indicatif (ex. 2). Un ordre exprimé au futur est beaucoup plus contraignant, car il doit être exécuté au plus vite : il est daté.

injure *nom fém.*

Parole insultante destinée à offenser le destinataire.

Exemple

Comment que t'es foutu, malagaufre ! Regarde un peu ton monument. Comment que tu te promènes ? Comment que tu oses ? T'as pas la honte, ma parole ? C'est le pape qui va la souquer, ta jugulaire, crème de vache ? Il est vidé ton cassis alors ? Que même ton casque il tient plus ! On te l'a donné, dis, le mot, pourtant. Merde ! Tu vas pas dire le contraire ! Malheureux maudit ours ! Tu sais plus rien, dis, Kardoncuf ? Tu sais plus rien, dis, rien du tout ? T'es plus con que mes bottes ? (Louis-Ferdinand Céline, *Casse-pipe*.)

Commentaire

L'injure, agressive par nature, donne au texte un dynamisme souvent exploité à des fins comiques. La plupart du temps empruntée à un niveau de langue familier, elle s'accompagne, dans un texte littéraire, d'un effet de pittoresque et de truculence.

insinuation *nom fém.*

Procédé par lequel on donne à entendre quelque chose, sans le dire ouvertement.

Exemple

Cependant, Bourdoncle, fort de sa résistance passive, pliait l'échine sous la bourrasque. Il étudiait Mouret. Enfin, un jour où il le vit plus

calme, il osa dire, d'une voix particulière :
— Il vaut mieux pour tout le monde qu'elle soit partie.
Mouret resta gêné, le sang au visage.
(Émile Zola, *Au bonheur des dames*.)

Commentaire

L'insinuation, art de ne pas dire tout en disant, dramatise et enrichit le discours. Elle fait appel à l'intelligence et à l'imagination du lecteur qui doit reconstituer la partie du discours censurée. (Voir aussi la table d'orientation.)

■insistance *nom fém.*

Voir la table d'orientation.

■interjection *nom fém.*

L'interjection est un mot-phrase qui se présente comme la réduction d'une phrase exclamative. L'interjection peut être une onomatopée *(plof!)*, un substantif *(minute!)*, un adverbe *(debout!)*, une locution verbale *(penses-tu!)* ou adjective *(tout doux!)*.

Exemple

— Retournez à votre écurie! Quand j'aurai retrouvé le Meheu, je vous descendrai au ballon moi-même!
— Ah! Ah! Ah! je voudrais vous y voir!
— Rompez, dégoûtant!
— Parfaitement mon général! De mon temps les hommes! La classe 7! À quatre plombes tous les Russes en l'air! À l'écurie les rigolos! Allez! Hop! Youp! aux balais!
(Louis-Ferdinand Céline, *Casse-pipe*.)

Commentaire

Cri du cœur, l'interjection anime le discours. Par sa brièveté, elle produit un effet d'accélération du rythme.

→ ONOMATOPÉE.

■interrogation *nom fém.*

◆ interrogation directe

L'interrogation directe est une des modalités de la question par laquelle un locuteur demande une information.
Marquée par l'intonation et par le point d'interrogation, elle s'accompagne souvent, dans la langue écrite, d'une inversion du sujet.

Exemple

ŒNONE. — Aimez-vous ?
PHÈDRE. — De l'amour j'ai toutes les fureurs.
ŒNONE. — Pour qui ?
PHÈDRE. — Tu vas ouïr le comble des horreurs.
J'aime... À ce nom fatal, je tremble, je frissonne.
J'aime...
ŒNONE. — Qui ?
(Jean Racine, *Phèdre*, acte I, sc. 3.)

Commentaire

L'interrogation directe, qui reproduit la question à sa source, présente une forte puissance interrogative. Authentique et sans détour, elle interpelle vivement l'interlocuteur, créant un incontestable effet dramatique.

→ INDIRECT (style).

◆ interrogation globale

L'interrogation globale est une question qui appelle une réponse par *oui* (ou *si*) ou par *non*.

Exemple

— Quoi, monsieur, lui dit-elle enfin, vous savez le latin ?
Ce mot de monsieur étonna si fort Julien qu'il réfléchit un instant.
— Oui, madame, dit-il timidement.
(Stendhal, *le Rouge et le Noir*.)

Commentaire

L'interrogation globale, qui ne laisse guère le choix de la réponse, est beaucoup plus impérieuse que l'interrogation partielle.

◆ interrogation partielle

L'interrogation partielle n'admet pas une réponse par *oui* ou par *non*. Elle demande une information précise et témoigne donc d'une ignorance.

Exemple

Les comprachicos faisaient le commerce des enfants.
Ils en achetaient et ils en vendaient.
Ils n'en dérobaient point. Le vol des enfants est une autre industrie.
Et que faisaient-ils de ces enfants ?
Des monstres.
Pourquoi des monstres ?
Pour rire.
(Victor Hugo, *l'Homme qui rit*.)

Commentaire

L'interrogation partielle, qui laisse à la question une réponse ouverte, pose une énigme. De là sa valeur dramatique et le suspense qu'elle imprime au texte.

◆ interrogation oratoire

On désigne par ces termes une fausse interrogation. L'auteur présente sous forme interrogative ce qu'il pense, sans pour autant désirer l'instauration d'un débat.

Exemple

BOULINGRIN, *légitimement indigné.* — Eh! c'est de ta faute, aussi! Pourquoi as-tu voulu le forcer à s'asseoir sur une chaise qui le répugnait? <u>Tu serais bien avancée, n'est-ce pas, s'il s'était cassé la figure?</u>
(Georges Courteline, *les Boulingrins*.)

Commentaire

Utilisant toutes les ressources de l'interrogation et de la rhétorique, l'interrogation oratoire est souvent un substitut de l'affirmation la plus catégorique. Elle permet de varier le ton, de rendre le texte plus vivant.

→ ORATOIRE (style).

interro-négation *nom fém.*

Construction dans laquelle sont conjuguées la forme interrogative et la forme négative. L'interro-négation induit une réponse par *si*.

Exemple

Ne dirait-on pas un beau lis élevant la neige odorante de son calice immaculé au milieu d'un champ de carnage? (Eugène Sue, *les Mystères de Paris*.)

Commentaire

Derrière sa forme prudente, l'interro-négation exprime une conviction. Profondément directive, elle appelle le cautionnement du lecteur. Elle a la valeur d'une question oratoire.

→ ARGUMENT IMPLICITE, INTERROGATION ORATOIRE.

inversion *nom fém.*

Les mots, dans la syntaxe traditionnelle, occupent une place précise. Ainsi, dans le groupe verbal, l'ordre traditionnel des mots est-il : sujet + verbe + complément ou attribut ; dans le groupe nominal : nom + complément du nom. Or, il arrive que cet ordre soit inversé. Lorsque cette modification n'a pas une origine grammaticale (comme l'inversion du sujet dans une interrogation), elle répond à une volonté stylistique de l'auteur. Il devient alors intéressant d'en analyser la cause et les effets.

Exemples

1. J'aime de vos longs yeux la lumière verdâtre.
   (Charles Baudelaire, *les Fleurs du mal*, «Chant d'automne».)
2. Bientôt reviendrait la date où j'étais allé à Balbec. (Marcel Proust, *À la recherche du temps perdu*.)

Commentaire

L'inversion est un procédé de mise en valeur du mot ou du segment déplacé. Inhabituelle, elle traduit un regard singulier sur le monde et donne à la phrase ou au vers un caractère sophistiqué.

→ ANASTROPHE, HYPERBATE, ORDRE DES MOTS.

ironie *nom fém.*

Procédé de style qui consiste à se moquer de quelqu'un en exprimant le contraire de ce que l'on pense, de ce que l'on veut faire entendre. Il permet de détromper, par antiphrase, un lecteur.

Exemple

La jeune Sara avait quatre-vingt-dix ans selon l'Écriture quand Dieu lui promit qu'Abraham, qui en avait alors cent soixante, lui ferait un enfant dans l'année.
Abraham, qui aimait à voyager, alla dans le désert horrible de Cadès avec sa femme grosse, toujours jeune et toujours jolie.
Voltaire, *Dictionnaire philosophique*, article «Abraham».)

Commentaire

L'ironie permet autant de ridiculiser un être que de montrer l'envers d'une situation. La réalité, apparaissant en négatif, s'en trouve démasquée. De plus, l'ironie permet à l'auteur de se concilier les faveurs des lecteurs ou des spectateurs dont il fait ses complices. (Voir aussi la table d'orientation, *humour et ironie*.)

irréguliers (vers)

Un poème est constitué de vers irréguliers lorsque ses vers ne présentent pas le même nombre de syllabes.

Exemple

Une souris craignait un chat
Qui dès longtemps la guettait au passage.
Que faire en cet état ? Elle, prudente et sage,
Consulte son voisin : c'était un maître rat...
(Jean de La Fontaine, *Fables*, « la Ligue des rats ».)

Commentaire

Les vers irréguliers — dans cet exemple : un octosyllabe, un déca-syllabe, deux alexandrins — confèrent au poème une vivacité sur-prenante due à la variation des rythmes et des mètres. Selon le choix du poète, ils traduisent le mouvement, la surprise, la spon-tanéité, autant que la réflexion. Le mélange des unités métriques dans la strophe n'est pas l'effet du caprice ou du hasard. (Voir aussi la table d'orientation, *versification*.)

isomètre (rime)

On qualifie d'*isomètres* des rimes qui présentent le même nombre de syllabes (ex. 1), des vers de même type qui se suivent (ex. 2), des strophes composées de vers de même longueur (un quatrain d'alexandrins).

Exemples

1. Dans le vieux parc solitaire et <u>glacé</u>
   Deux formes ont tout à l'heure <u>passé</u>.
   (Paul Verlaine, *Fêtes galantes*, « Colloque sentimental ».)
2. Mais avec tant d'oubli comment faire une rose,
   Avec tant de départs comment faire un retour ?
   (Jules Supervielle, *Oublieuse Mémoire*.)

Commentaire

L'isométrie, si elle donne souvent une impression d'automatisme au poème, participe aussi à la régularité du rythme, à l'ordonnan-cement de la pensée poétique.

→ MONOMÈTRE.

italique *adj. et nom masc.*

Inventé par l'Italien Alde Manuce, le caractère *italique* est légè-rement penché vers la droite.

Exemples

1. Il y avait aussi parmi eux de grands penseurs et de grands ironistes, qui, lorsqu'ils écrivaient, mettaient leurs mots profonds et fins en *italique*, pour qu'on ne s'y trompât point. (Romain Rolland, *Jean-Christophe*.)

2. Henri de Régnier, *les Jeux rustiques et divins*, éditions Mercure de France.

Commentaire

L'italique marque toujours un relief et indique les mots d'un texte que l'on veut distinguer (ex. 1). Il est d'usage dans les bibliographies de mettre en caractères italiques le titre de l'ouvrage (ex. 2).

→ GUILLEMET.

jargon   *nom masc.*

Langage particulier à un groupe. On parlera par exemple du jargon juridique, philosophique, psychanalytique, etc., pour désigner une manière de parler ou d'écrire très spécialisée. Le terme a une valeur fortement péjorative, et l'on traite généralement de jargon tout discours prétentieux et incompréhensible.

Exemple

Dès qu'on substantive, c'est pour supposer une substance, et les substances, mon Dieu, de nos jours, nous n'en avons pas à la pelle. Il conviendrait peut-être d'interroger à partir de là où peut bien se caser cette dimension substantielle, à quelque distance qu'elle soit de nous et, jusqu'à maintenant, ne nous faisant que signe, cette substance en exercice, cette dimension qu'il faudrait écrire «dit-mension», à quoi la fonction du langage est d'abord ce qui veille avant tout usage plus rigoureux? (*Le Séminaire de Jacques Lacan,* texte établi par Jacques-Alain Miller.)

Commentaire

Souvent prétentieux, parfois volontairement sélectif, le jargon produit un effet d'opacité qu'un auteur peut utiliser pour mystifier le lecteur. Par son caractère hermétique, il a, dans certains contextes, une valeur comique. Dans tous les cas, il demande un gros effort de lecture.

→ AMPHIGOURI, GALIMATIAS, HERMÉTIQUE (style).

jeu de mots

Acrobatie verbale fondée sur la ressemblance phonétique de plusieurs mots dont les sens diffèrent cependant, le jeu de mots s'appelle parfois aussi *anagramme, anastrophe, calembour, contrepèterie...*

Exemple

Autodafé: espèce de jeu de foi qui se traduit par des feux de joie. (Pierre Ziegelmayer et Jean-Benoît Thirion, *Le A nouveau est arrivé.*)

Commentaire

Le jeu de mots peut avoir des effets très divers : satire politique ou sociale, ironie, humour. Il met en valeur celui qui le produit. (Voir aussi la table d'orientation.)

journalistique (style)

On désigne par *style journalistique* les modalités d'écriture utilisées dans la presse.

Le style journalistique se caractérise par des phrases généralement courtes et informatives, des formules condensées destinées à accrocher le lecteur, un vocabulaire courant. Ces règles de base sont adaptées par chaque journal ou magazine en fonction du public visé.

Exemple

Les écrivains reprennent la route. Le XIXe siècle avait Nerval, Gautier ou Loti. On publie aujourd'hui Paul Théroux, Nicolas Bouvier et Gavin Young. Mais la littérature de voyage a changé. (*Le Figaro*, 4 décembre 1989.)

Commentaire

On pourrait croire que le style journalistique refuse les effets rhétoriques pour s'en tenir à une langue froidement informative. Il n'en est rien. Traduisant la personnalité du journal, il utilise toutes les ressources expressives de la langue, notamment dans les titres. Il se distingue cependant de la langue littéraire par son objectif (informer) et sa matière (la réalité), ce qui l'oblige en principe à contrôler ses effets.

juxtaposition   *nom fém.*

On dit que deux propositions sont *juxtaposées* lorsqu'elles n'ont entre elles aucun mot de liaison.

Exemples

1. Ne cherche point à faire un coup d'essai fatal ;
   Dispense ma valeur d'un combat inégal ;
   Trop peu d'honneur pour moi suivrait cette victoire.
   À vaincre sans péril, on triomphe sans gloire.
   (Pierre Corneille, *le Cid*, acte II, sc. 2.)
2. Enfin les rois sont rois : je suis ce que je suis.
   (Bonaventure de Fourcroy, *l'Homme libre*.)

Commentaire

L'absence de liaison entre chacune des phrases juxtaposées ne constitue pas un obstacle à leur lisibilité. Au contraire, la juxtaposition permet une lecture parallèle de plusieurs propositions dont les significations se complètent. Dans les exemples précédents, les propositions juxtaposées ont des valeurs causale (ex. 1) ou comparative (ex. 2).

→ COORDINATION, PONCTUATION.

langue parlée

La langue parlée se définit généralement par opposition à la langue écrite, la première étant synonyme de liberté, la seconde de contrainte.

Ainsi la langue parlée serait-elle plus spontanée et plus authentique, plus créative aussi dans la mesure où elle n'est pas asservie aux règles strictes de la langue écrite. D'un point de vue formel, elle utilise de préférence des phrases courtes et simples ainsi qu'un vocabulaire usuel.

Exemple

— Je suis un pauvre orphelin, dit Pierrot.
— Vous avez des frères, des sœurs ?
— Non.
— Vous devez vous ennuyer.
— Oh! non. J'ai pas un tempérament à ça. Des fois, ça me prend, mais comme à tout le monde.

(Raymond Queneau, *Pierrot mon ami.*)

Commentaire

La langue parlée retranscrite à l'écrit s'accompagne d'une dynamique caractéristique de la parole. Vivante, expressive, elle correspond généralement à un niveau de langue courant ou familier. (Voir aussi la table d'orientation, *langue populaire, niveau de langue.*)

leitmotiv *nom masc.*

Phrase ou formule qui revient à intervalles réguliers. Le refrain est un type de leitmotiv.

Exemple

L'amour a pleuré sur ma main
(J'aime la rose et le jasmin)
Il a pleuré, ses pleurs me brûlent.
(J'aime la rose et le jasmin,
La jonquille et la renoncule).

Il a pleuré, ses pleurs me brûlent,
Que va-t-il m'ordonner demain ?
(J'aime la rose et le jasmin).
(André Salmon, *Créances*.)

Commentaire

Le leitmotiv permet de mettre en valeur une impression, une pensée, un jugement. Le lecteur en attend le retour, comme un aliment nécessaire à sa mémoire, mais aussi comme un plaisir sonore.

→ REFRAIN, RÉPÉTITION.

léonin (vers)

On dit qu'un vers est *léonin* lorsque ses hémistiches riment ensemble.

Exemple

Des filous effrontés, d'un coup de pistolet,
Ébranlent ma fenêtre et percent mon volet.
(Nicolas Boileau, *Satires*, 6.)

Commentaire

Ce vers fut recherché dans la poésie ancienne et méprisé chez les classiques ; il est cultivé par les poètes contemporains. Il apporte au vers un appui rhétorique renforçant son unité musicale, mais peut aussi perturber la perception des rimes finales.

→ HÉMISTICHE.

léonine (rime)

Il existe deux acceptions de ce terme. La première concerne la qualité phonique des rimes (ex. 1), la seconde la succession des rimes (ex. 2). Ainsi, on peut appeler *rimes léonines* des rimes qui présentent deux syllabes semblables (ex. 1), ou des rimes identiques qui se succèdent tout au long d'un même poème (ex. 2). Les rimes léonines sont aussi appelées *monorimes*.

Exemples

1. Vous ne rejetez pas la fleur qui n'est plus belle ;
   Ce crime de la terre au ciel est pardonné !
   Vous ne maudirez pas votre enfant infidèle,
   Non d'avoir rien vendu, mais d'avoir tout donné.
   (Marceline Desbordes-Valmore, *Poésies posthumes*, « la Couronne effeuillée ».)

2. Trop me regardez, amie, trop souvent.
   Votre doux regard inquiète les gens

Cœur qui veut aimer jolietement
Trop me regardez, amie, trop souvent.
Ne se doit vanter par devant les gens
Et se doit garder des gens médisants.
Trop me regardez, amie, trop souvent.
Votre doux regard inquiète les gens...
(Anonyme du XIIe siècle, adaptation de Pierre Seghers.)

Commentaire

Les rimes léonines tissent un système d'échos sonores qui renforcent l'unité du système (ex. 1) ou qui appuient le rythme des vers (ex. 2).

→ RICHES (rimes).

libre (vers)

Ce terme s'applique à la poésie moderne. Il désigne des vers sans règles, dont la structure (longueur, césure, coupe) et le groupement (strophe, distique...) sont libres. Le vers libre est fondé sur une harmonie sonore perceptible, qui n'obéit pas aux règles classiques. Cependant, on peut trouver dans un vers libre des rimes intérieures, des assonances, des allitérations...

Exemple

Dans mes veines ce n'est pas du sang qui coule, c'est l'eau, l'eau amère des océans houleux... (Jean Venturini, *Outline*.)

Commentaire

On a souvent appelé *vers libres* les vers mêlés, c'est-à-dire les vers de longueur inégale, utilisés notamment par Jean de La Fontaine. La poésie contemporaine a fait un pas décisif vers la liberté poétique en cherchant de nouvelles sonorités, de nouvelles images, affranchies de l'ordre classique. (Voir aussi la table d'orientation, *versification*.)

lieu commun

Idée toute faite, conventionnelle et dépourvue de personnalité.

Exemple

— Je ne trouve rien d'admirable comme les soleils couchants, dit-elle, mais au bord de la mer, surtout.
— Oh! j'adore la mer, dit M. Léon.
(Gustave Flaubert, *Madame Bovary*.)

Commentaire

Le lieu commun, insulte à la pensée créative, est fortement décrié par les beaux esprits. Dans certains cas, il peut cependant faire fonction d'écran devant une parole plus essentielle (par exemple devant un sentiment qui, pour une raison ou une autre, ne peut pas s'exprimer).

→ BANALITÉ, CLICHÉ, GÉNÉRALITÉ.

lipogramme *nom masc.*

Le lipogramme (du grec *leipen*, laisser, et *gramme*, lettre) est un texte dans lequel l'auteur s'est astreint à ne pas faire figurer une ou plusieurs lettres de l'alphabet.

Exemple

On tuait son frangin pour un saucisson, son cousin pour un bâtard, son voisin pour un croûton, un quidam pour un quignon.
(Georges Perec, *la Disparition*.)

Commentaire

Au-delà de son apparente gratuité, le lipogramme (ici la lettre *e*) se révèle un créatif défi à la langue et à l'orthographe, qu'il contourne et sollicite tout à la fois.

→ JEU DE MOTS.

litote *nom fém.*

Figure de style qui permet de dire peu et de signifier beaucoup. À la différence de l'euphémisme, qui atténue des réalités cruelles, la litote modère des éloges, des aveux.

Exemple

1. Va, je ne te hais point. (Pierre Corneille, *le Cid*, acte III, sc. 4.)
2. Votre devoir n'est pas mauvais.

Commentaire

La litote, art classique par excellence selon le mot de Gide, n'est pas toujours facilement repérable. Dans l'exemple 1, seul le contexte permet de lui donner le sens de « je t'aime beaucoup ». Dans l'exemple 2, on peut entendre : « votre devoir est excellent » ou « votre devoir est moyen ».

→ ATTÉNUATION, EUPHÉMISME, MÉTALEPSE.

lyrisme *nom masc.*

Lorsque le cœur d'un individu s'épanche, lorsque sa sensibilité profonde s'exprime à travers l'écriture, on parle de *lyrisme* pour désigner l'émotion ainsi extériorisée. Les auteurs romantiques sont les maîtres du lyrisme.

Exemple

Un jour je m'étais amusé à effeuiller une branche de saule sur un ruisseau, et à attacher une idée à chaque feuille que le courant entraînait. Un roi qui craint de perdre sa couronne par une révolution subite ne ressent pas des angoisses plus vives que les miennes, à chaque accident qui menaçait les débris de mon rameau. Ô faiblesse des mortels ! Ô enfance du cœur humain qui ne vieillit jamais ! Voilà donc à quel degré de puérilité notre superbe raison peut descendre ! Et encore est-il vrai que bien des hommes attachent leur destinée à des choses d'aussi peu de valeur que mes feuilles de saule. (François René de Chateaubriand, *René*.)

Commentaire

Le lyrisme confère à un texte un mouvement rythmique ample, une pulsation qui projette la phrase en avant. Il donne au style de l'éloquence et de la vigueur.

majuscule *nom fém. et adj.*

Les lettres majuscules se définissent par opposition aux lettres minuscules. Sorties de leur fonction grammaticale qui est d'indiquer le début d'une phrase (après un point, un point d'exclamation, un point d'interrogation, des points de suspension) ou de signaler un nom propre, elles peuvent être utilisées à des fins stylistiques pour créer des effets particuliers.

Exemple

Mère Ubu. — Tu es trop féroce, Père Ubu.
Père Ubu. — Eh! Je m'enrichis. Je vais faire lire MA liste de MES biens. Greffier, lisez MA liste de MES biens.
(Alfred Jarry, *Ubu roi*, acte III, sc. 2.)

Commentaire

L'utilisation stylistique des majuscules crée un effet d'emphase. Elle signale au lecteur l'intensité et la puissance d'une expression. Elle a une fonction d'appel.

maladresse *nom fém.*

Défaut d'une phrase lourde, inélégante, malhabile. Une maladresse est donc différente d'une incorrection, car elle ne transgresse pas l'usage grammatical.

Exemples

1. Son artifice n'allait pas au-delà de celui d'un potier très excellent. (Anatole France, *la Rôtisserie de la reine Pédauque*.)
2. Il y avait aussi de passage Antoine qui était un vrai Français et le seul d'origine et on le regardait tous attentivement pour voir comment c'est fait. (Émile Ajar [Romain Gary], *la Vie devant soi*.)

Commentaire

Une maladresse crée une discordance momentanée à l'intérieur du discours. Repérée comme une anomalie, elle interrompt le rythme de lecture ou d'écoute et peut créer une gêne que le lecteur n'est pas toujours capable d'analyser. Dans certains

contextes, cependant, elle peut sembler pittoresque et charmante, comme l'expression malhabile d'un sujet qui, ne domi-
nant pas la langue, essaie pourtant d'exprimer sa pensée. (Voir
aussi la table d'orientation, *incorrection, maladresse*.)

masculine (rime)

Par opposition à la *rime féminine,* on nomme ainsi une rime qui
n'est pas terminée par un *e* muet.

Exemples

1. Dans le vieux parc solitaire et glacé
   Deux formes ont tout à l'heure passé.
   (Paul Verlaine, *Fêtes galantes*, «Colloque sentimental».)
2. Comme l'ambre, le musc, le benjoin et l'encens,
   Qui chantent les transports de l'esprit et des sens.
   (Charles Baudelaire, *les Fleurs du mal*, «Correspondances».)

Commentaire

La rime masculine est plus intéressante pour l'œil que pour
l'oreille. Elle alterne traditionnellement avec la rime féminine. Elle
peut être à terminaison vocalique (ex. 1) ou consonantique
(ex. 2). On range parmi les rimes masculines les imparfaits et
conditionnels en -*aient,* ainsi que les subjonctifs *aient* et *soient.*

→ ALTERNANCE, FÉMININE (rime).

merveilleux   *nom masc.*

On désigne par *merveilleux* tout ce qui, dans un texte, est du
domaine du surnaturel, c'est-à-dire qui surpasse les forces de la
nature.
Le merveilleux introduit des éléments extraordinaires dans le
fonctionnement du monde.

Exemple

C'était un silence affreux, l'image de la mort s'y présentait partout, et ce
n'était que des corps étendus d'hommes et d'animaux, qui paraissaient
morts. Il reconnut pourtant bien au nez bourgeonné et à la face ver-
meille des Suisses, qu'ils n'étaient qu'endormis et leurs tasses où il y
avait encore quelques gouttes de vin montraient assez qu'ils s'étaient
endormis en buvant. (Charles Perrault, *la Belle au bois dormant*.)

Commentaire

Le merveilleux étonne, fascine et impressionne le lecteur en lui
ouvrant les portes du rêve.

L'univers merveilleux obéit à ses propres lois : il introduit dans le texte une logique à laquelle le lecteur doit souscrire pour que l'effet magique se produise.

mesure *nom fém.*

Chez les Latins, la mesure était la combinaison de syllabes longues et de syllabes brèves. Dans le vers français, elle désigne une unité rythmique séparée d'une autre unité par la coupe.

Exemples

1. Et la mer/et l'amour/ont l'amer/pour partage.
   (Pierre de Marbeuf, *Recueil de vers*.)
2. Mar/che à travers les champs/une fleur/à la main.
   (Alfred de Vigny, *Lettre à Eva*.)

Commentaire

Dans l'alexandrin cité (ex. 1), on compte quatre mesures de trois syllabes chacune. Elles confèrent au vers une solennité, un balancement parfaits. Dans l'exemple 2, la première mesure du premier hémistiche est très expressive, la deuxième lui étant sacrifiée. En effet, tout ne peut être mis en relief dans un vers et rien ne l'est que par contraste. (Voir aussi la table d'orientation, *versification*.)

→ ACCENT D'INTENSITÉ, HARMONIE IMITATIVE, HÉMISTICHE.

métalepse *nom fém.*

Proche de la litote, la métalepse consiste à substituer une expression indirecte à une expression directe, c'est-à-dire à évoquer un sentiment, une situation ou un personnage par une expression parallèle qui y renvoie sans ambiguïté.

Exemple

Dieux ! que ne suis-je assise à l'ombre des forêts !
Quand pourrai-je, au travers d'une noble poussière,
Suivre de l'œil <u>un char fuyant</u> dans la carrière ?
(Jean Racine, *Phèdre*, acte I, sc. 3.)

Commentaire

Dans l'exemple ci-dessus, Phèdre, qui aime en secret Hippolyte, le chasseur intrépide au char rapide, n'ose le dire directement à sa confidente Œnone, malgré l'insistance de celle-ci. Elle utilise une expression détournée qui évoque Hippolyte sans le nommer.

→ LITOTE, MÉTONYMIE.

métaphore   *nom fém.*

Procédé par lequel on substitue un terme à un autre pour produire une image.

Dans sa forme, la métaphore correspond à une comparaison dans laquelle on aurait supprimé le terme comparatif *(comme, ainsi que...).*

Exemple

Usant à l'envi leurs chaleurs dernières,
Nos deux cœurs seront <u>deux vastes flambeaux</u>,
Qui réfléchiront leurs doubles lumières
Dans nos deux esprits, <u>ces miroirs jumeaux</u>.
(Charles Baudelaire, *les Fleurs du mal,* «la Mort des amants».)

Commentaire

La métaphore révèle la face cachée du monde en soulignant des analogies profondes entre les êtres et les choses. Très expressive, elle permet de donner corps à des idées et de traduire visuellement des sensations ou des sentiments. Procédé inépuisable d'enrichissement de la langue, elle s'accompagne d'effets poétiques et dramatiques qui éveillent chez le lecteur des émotions fortes.

→ ANALOGIE, COMPARAISON, IMAGE.

◆ métaphore filée

Métaphore qui se déploie et se développe dans une série d'images complémentaires.

Exemple

Ma jeunesse ne fut qu'un <u>ténébreux orage</u>,
Traversé çà et là par de brillants soleils ;
<u>Le tonnerre et la pluie</u> ont fait un tel <u>ravage</u>,
Qu'il reste en mon jardin bien peu de fruits vermeils.
Voilà que j'ai touché <u>l'automne</u> des idées,
Et qu'il faut employer <u>la pelle et les râteaux</u>
Pour rassembler à neuf <u>les terres inondées</u>,
Où <u>l'eau creuse des trous</u> grands comme des tombeaux.
(Charles Baudelaire, *les Fleurs du mal*, «l'Ennemi».)

Commentaire

La métaphore filée met en place une idée par un réseau d'images concordantes qui s'enchaînent et s'amalgament les unes aux autres, comme autant d'éléments d'un décor.

Prolifération de la métaphore dont elle multiplie la richesse évocatrice, elle fait une forte impression sur le lecteur.

métonymie *nom fém.*

Figure de style qui permet de traduire un terme par un autre. Les deux signifiés (le terme exprimé et le terme traduit) sont généralement liés dans un rapport de transfert concret/abstrait (ex. 1), contenant/contenu (ex. 2), cause/effet (ex. 3), partie du corps/sentiment (ex. 4), lieu/production (ex. 5).

Exemples

1. Il a pris la <u>tête</u> du peloton.
2. Le *stade* attendait son héros (les gens du stade).
3. Peu d'écrivains vivent de leur <u>plume</u>.
4. *Son cœur* ne bat que pour elle.
5. Il nous sortit un *Bourgogne* de derrière les fagots.

Commentaire

La métonymie est fréquente. Elle se combine généralement avec la métaphore. Si parfois l'image créée est originale, elle n'est souvent que l'expression d'un stéréotype dont l'effet est négligeable.

→ MÉTAPHORE, SYNECDOQUE.

modalités appréciatives

Le scripteur, lorsqu'il désire intervenir dans son texte et porter un jugement, donner son opinion ou exprimer son appréciation sur ce qu'il écrit, utilise des modalités appréciatives. Il peut se servir de verbes, d'adjectifs, de substantifs, d'adverbes, voire de procédés typographiques.

Exemples

1. Vous voyez, Lecteur, que je suis en beau chemin, et qu'il ne tiendrait qu'à moi de vous faire attendre un an, deux ans, trois ans, le récit des amours de Jacques. (Denis Diderot, *Jacques le Fataliste*.)
2. Elle n'avait pas besoin du poète, Pomme, pour être harmonieuse à sa manière. (Pascal Laîné, *la Dentellière*.)
3. Richedoux
   Il est riche, il est doux, c'est tout.
   (Publicité, 1975.)

Commentaire

On peut repérer ces modalités appréciatives lorsque l'auteur intervient directement dans son texte (ex. 1), mais aussi lorsqu'il décrit des personnages (ex. 2), des situations ou des choses, établissant des rapports plus ou moins étroits avec son objet. Dans le langage des médias, les textes critiques ou publicitaires (ex. 3) font souvent usage de modalités appréciatives.

→ COMMENTAIRE, PARTICIPATION AFFECTIVE.

modalités logiques

Si le scripteur désire indiquer que son énoncé est certain ou non, probable ou non, nécessaire ou non, il peut utiliser des modalités logiques : temps et modes, expressions adverbiales, effets typographiques.

Exemple

Je crois que je <u>devrais</u> commencer à travailler un peu maintenant que j'apprends à voir. (Rainer Maria Rilke, *les Cahiers de Malte Laurids Brigge*.)

Commentaire

Les modalités logiques permettent d'exprimer une infinité de nuances, tout en traduisant l'attitude du scripteur par rapport à son texte. Dans l'exemple cité, le conditionnel révèle une intention du scripteur ; il met au jour la logique de son raisonnement.

mode *nom masc.*

Voir la table d'orientation.

momentané *adj.*

Un verbe est dit *momentané* lorsqu'il présente l'action sous un angle ponctuel et instantané.

Exemple

Coralie <u>dégringola</u> par les escaliers en entraînant Lucien qui <u>entendit</u> le négociant se traînant comme un phoque après eux, sans pouvoir les rejoindre. Le poète <u>éprouva</u> la plus enivrante des jouissances : Coralie, que le bonheur rendait sublime, <u>offrit</u> à tous les yeux ravis une toilette pleine de goût et d'élégance. Le Paris des Champs-Élysées admira ces deux amants. (Honoré de Balzac, *Illusions perdues*.)

Commentaire

L'aspect momentané d'un verbe souligne le caractère à la fois exclusif et définitif d'une action. Il permet une accélération du rythme qui peut s'accompagner d'un effet dramatique.

→ ASPECT, DURATIF, PASSÉ SIMPLE.

monologue *nom masc.*

Le mot *monologue* appartient d'abord au vocabulaire du théâtre : il désigne une scène dans laquelle un personnage parle seul, pour lui-même ou pour les spectateurs.

Par extension, un monologue est un long discours qui accapare la parole et ne laisse pas aux autres le loisir de s'exprimer.

Exemple

PHÈDRE. — Il sort. Quelle nouvelle a frappé mon oreille ?
Quel feu mal étouffé dans mon cœur se réveille ?
Quel coup de foudre, ô Ciel ! et quel funeste avis !
Je volais toute entière au secours de son fils ;
Et m'arrachant des bras d'Œnone épouvantée,
Je cédais au remords dont j'étais tourmentée,
Qui sait même où m'allait porter ce repentir ?
Peut-être à m'accuser j'aurais pu consentir ;
Peut-être, si la voix ne m'eût été coupée,
L'affreuse vérité me serait échappée.
Hippolyte est sensible, et ne sent rien pour moi !
Aricie a son cœur ! Aricie a sa foi !
Ah, Dieux ! Lorsqu'à mes vœux l'ingrat inexorable
S'armait d'un œil si fier, d'un front si redoutable,
Je pensais qu'à l'amour son cœur toujours fermé
Fût contre tout mon sexe également armé.
Une autre cependant a fléchi son audace ;
Devant ses yeux cruels une autre a trouvé grâce.
Peut-être a-t-il un cœur facile à s'attendrir.
Je suis le seul objet qu'il ne saurait souffrir ;
Et je me chargerais du soin de le défendre ?
(Jean Racine, *Phèdre*, acte IV, sc. 5.)

Commentaire

Le monologue de théâtre traduit généralement le paroxysme d'une situation dramatique. Très intense sur le plan émotionnel, il permet au héros d'exprimer ses sentiments profonds dans l'absolu de sa solitude. Par sa valeur descriptive, il interrompt le rythme de l'intrigue, laissant place à une réflexion ou à un exposé qui aboutit souvent à une décision.

Lorsque le monologue met à découvert les travers d'un personnage, il peut produire un effet comique. Le procédé est d'ailleurs largement utilisé par les auteurs de farces et de comédies.

◆ monologue intérieur

Discours à la première personne, dans lequel un personnage pense tout haut, au gré de sa conscience.

Exemple

Je suis dans la chambre de ma mère. C'est moi qui y vis maintenant. Je ne sais pas comment j'y suis arrivé. Dans une ambulance peut-être, un véhicule quelconque certainement. On m'a aidé. Seul je ne serais pas arrivé. (Samuel Beckett, *Molloy*.)

Commentaire

Le monologue intérieur saisit la pensée à sa source, avant qu'elle ait subi les transformations liées à la communication pour autrui. Son organisation ne suit donc pas la logique habituelle ; elle obéit plutôt aux caprices de la conscience. Le monologue intérieur, qui se présente comme une parole authentique et confidentielle, se démarque du monologue, plus construit et plus ciblé.

monomètre *adj. et nom masc.*

Se dit d'un poème qui n'a qu'une seule sorte de vers.

Exemple

Saigne :
Clame !
Geigne.
(Arthur Rimbaud, *Album zutique*, « Cocher ivre ».)

Commentaire

Le monomètre permet un rythme régulier, une musique parfois lancinante.

monorime *nom fém.*

→ LÉONINE (rime)

monosémie *nom fém.*

Dans un contexte donné, on dit qu'un mot est *monosémique* lorsqu'il ne renvoie qu'à un seul sens.

Exemple

L'eau bout à 100 degrés.

Commentaire

Dans certains domaines, comme ceux de la science ou des techniques, les mots ne doivent renvoyer qu'à un seul sens. En effet, on doit chasser des énoncés toute ambiguïté, être rigoureux et objectif. De ce fait, on proscrit les images, les mots étant pris dans leur sens dénoté.

→ CONCRET (mot), DÉNOTATION, POLYSÉMIE.

monostiche *nom masc.*

Poème constitué d'un seul vers.

Exemple

Et l'unique cordeau des trompettes marines.
(Guillaume Apollinaire, *Alcools*, «Chantre».)

Commentaire

Fort rare en poésie française, le monostiche se suffit à lui-même par sa structure interne, son rythme, ses sonorités, sa signification. Ici, Apollinaire a bâti un alexandrin classique, choisissant de ne pas l'intégrer dans un système de rimes.

monosyllabe *nom masc.*

Mot qui ne comporte qu'une seule syllabe.

Exemples

1. Les faux beaux jours ont lui tout le jour, ma pauvre âme,
   Et les voici vibrer aux cuivres du couchant.
   (Paul Verlaine, *Sagesse,* I, 7.)

2. Je demeure immobile, et mon âme abattue
   Cède au coup qui me tue.
   (Pierre Corneille, *le Cid*, acte I, sc. 6.)

Commentaire

Par sa brièveté, le monosyllabe peut produire des effets d'harmonie imitative. Ainsi peut-il suggérer la légèreté, la délicatesse, le pittoresque d'une vision impressionniste (ex. 1) ou au contraire la brutalité d'une image réaliste (ex. 2).

Tonique, il donne un rythme rapide au vers ou à la phrase. Accolé à un mot long, il accuse un contraste souvent riche de sens et qu'il convient de souligner.

→ IMPRESSIONNISTE (style), MOT COURT, MOT LONG.

moralité *nom fém.*

On désigne par *moralité* une réflexion à caractère moral souvent présentée à la fin d'un récit ou d'une fable.

Exemple

Amusez les rois par des songes,
Flattez-les, payez-les d'agréables mensonges :
Quelque indignation dont leur cœur soit rempli,
Ils goberont l'appât ; vous serez leur ami.
(Jean de La Fontaine, *Fables*, «les Obsèques de la lionne».)

Commentaire

La moralité s'énonce souvent sous une forme impersonnelle ou impérative ; elle est généralement courte. Synthèse d'un récit édifiant ou d'une démonstration exemplaire, elle propose parfois des solutions pratiques pour se conduire dans la vie. Arme d'un combat idéologique et moral, elle cherche non seulement à convaincre mais aussi à instruire.

→ ÉNONCIATION, ÉPIPHONÈME, ÉPIPHRASE.

mot-clé *nom masc.*

Mot essentiel d'une phrase, d'un vers ou d'un texte, d'un sujet de rédaction ou de dissertation.

Exemples

1. Donc, si vous me croyez, mignonne,
   Tandis que votre âge fleuronne
   En sa plus verte nouveauté,
   Cueillez, cueillez votre <u>jeunesse</u> :
   Comme à cette fleur, la <u>vieillesse</u>
   Fera ternir votre beauté.
   (Pierre de Ronsard, *les Amours,* « Ode à Cassandre ».)

2. Au cours d'un entretien, un journaliste demandait à Albert Camus :
   « Dans l'œuvre d'art — et notamment dans l'œuvre littéraire —, à quelle valeur êtes-vous le plus sensible ? » « <u>La vérité</u> », répondit-il.
   Comment votre expérience de lecteur vous permet-elle de comprendre cette réponse, et celle-ci pourrait-elle être la vôtre ?
   (Sujet du baccalauréat, juin 1985, académie de Toulouse.)

Commentaire

Le mot-clé éclaire de son sens l'ensemble de la phrase. Il produit un effet de rayonnement sur le contexte.

Il contient, en substance, toute une pensée, toute une réflexion, tout un système de référence qui lui sont associés. Dans un sujet de rédaction ou de dissertation, il ouvre des pistes pour l'analyse.

mot composé

Mot formé d'un préfixe et d'un radical ou de deux ou plusieurs mots simples, réunis ou non par un trait d'union.
La composition est l'un des procédés essentiels de la création lexicale.

Exemple

Tous riaient, <u>Mes-Bottes</u>, <u>Bibi-la-Grillade</u>, <u>Bec-Salé</u>, dit <u>Boit-sans-Soif</u>.
Oui, ça leur semblait farce ; et ils n'expliquaient pas pourquoi. Gervaise restait debout, un peu étourdie. (Émile Zola, *l'Assommoir.*)

Commentaire

Par son aspect synthétique, le mot composé présente un concentré de signification qui irradie le contexte de sa richesse expressive.

→ NÉOLOGISME.

mot court

Mot réduit à une ou deux syllabes.

Exemple

Ô bruit doux de la pluie
Par terre et sur les toits !
Pour un cœur qui s'ennuie,
Ô le chant de la pluie !
(Paul Verlaine, *Romances sans paroles*, « Ariettes oubliées ».)

Commentaire

Le mot court peut produire un effet d'harmonie imitative. Par sa brièveté, il peut donner à la phrase ou au vers délicatesse ou dureté, suivant le contexte.

→ MONOSYLLABE.

mot long

Mot qui dépasse trois syllabes.

Exemples

1. Oh ! il faudrait que la mort vînt me prendre, qu'une balle me tuât dans cet épanouissement de la résurrection ! (Jules Vallès, *l'Insurgé*.)
2. Une deuxième lanière, étroite et aiguë, sortit de la crevasse du roc. C'était comme une langue hors d'une gueule. Elle lécha épouvantablement le torse nu de Giliatt, et tout à coup s'allongeant, démesurée et fine, elle s'appliqua sur sa peau et lui entoura tout le corps. (Victor Hugo, *les Travailleurs de la mer*.)

Commentaire

Le volume du mot suggère généralement l'importance de l'idée et peut produire un effet d'harmonie imitative, comme dans l'exemple ci-dessus. Trop de mots longs dans une phrase ou un paragraphe alourdissent cependant le discours et compromettent sa lisibilité.

mot-valise *nom masc.*

La rencontre de deux mots peut aboutir à la formation d'un seul mot, nouveau dans la langue, que l'on appelle *mot-valise*.

Exemples

1. D'égal à égal, de façon toute <u>famillionnaire</u>. (Sigmund Freud, *le Mot d'esprit dans ses rapports avec l'inconscient.*)

2. <u>Camembour</u> : style de blague que l'on aime bien faire entre la poire et le fromage. (Alain Finkielkraut, *Ralentir : mots-valises !*)

3. <u>Watermanie</u>. (Publicité Waterman.)

Commentaire

Le mot-valise est la plupart du temps le résultat d'un lapsus. Freud étudia longuement la part que l'inconscient prenait à sa formation, entre autres dans son commentaire de la plaisanterie de Heine, disant que son banquier l'avait traité de «façon toute famillionnaire» (ex. 1). Parfois aussi, on trouve des mots-valises dans des écrits littéraires : on doit alors les considérer comme des néologismes destinés à provoquer le rire ou la réflexion (ex. 2). Enfin, les mots-valises rencontrent un grand succès auprès des publicitaires (ex. 3). Dans tous les cas, leur richesse de sens produit un effet choc.

→ JEU DE MOTS, NÉOLOGISME.

musicalité *nom fém.*

On parle de la *musicalité* d'un poème lorsqu'on étudie son mètre, son rythme, son système de rimes, ses sonorités, allitérations et assonances... On peut aussi parler de la *musicalité* d'un vers (ex. 1) ou d'une phrase de prose (ex. 2).

Exemples

1. Les promesses s'en vont où va le vent des plaines.
   (Victor Hugo, *les Contemplations*, VI, 6.)

2. Sous l'incantation de ses yeux bleus, sa voix doucement musicale faisait penser à la plainte poétique d'une fée. (Marcel Proust, *Sodome et Gomorrhe.*)

Commentaire

Notion moins technique que ne le laisse supposer sa définition, la musicalité est le résultat d'un ensemble d'harmonies musicales, d'effets sonores. (Voir aussi la table d'orientation, *son*, *versification*.)

nasales (consonne et voyelle)

Les consonnes *n, m, n* mouillé *(gn)* et les voyelles *an, in, on, un* sont dites *nasales* parce que leur prononciation nécessite le passage du souffle dans les fosses nasales.

Exemples

1. Il <u>en</u>fonce d'<u>un</u> b<u>on</u>d ses <u>on</u>gles ruissel<u>an</u>ts
   D<u>an</u>s la chair des taureaux effarés et beugl<u>an</u>ts.
(Leconte de Lisle, *Poèmes barbares*, «le Rêve du jaguar».)

2. À quoi qu'a p<u>en</u>se?
   — A p<u>en</u>se à <u>rin</u>.
   (Jean Tardieu, *le Fleuve caché,* «la Môme Néant».)

Commentaire

La multiplication des nasales dans une phrase ou dans un vers peut produire une tonalité caverneuse à valeur dramatique (ex. 1). Quelquefois, au contraire, les nasales produisent un son nasillard chargé de dérision (ex. 2).

négation *nom fém.*

En français, la négation est essentiellement marquée par les adverbes *non, pas, ne;* par les locutions adverbiales *ne... pas, ne... point, ne... guère, ne... plus;* par la préposition *sans* ou la locution conjonctive de subordination *sans que,* enfin par certains préfixes comme *a-* ou *in-*.

Exemple

SYLVIA . — Laissez-moi. Tenez, si vous m'aimez, <u>ne</u> m'interrogez <u>point</u>. Vous ne craignez que mon indifférence et vous êtes trop heureux que je me taise. Que vous importent mes sentiments?
DORANTE . — Ce qu'ils m'importent, Lisette! Peux-tu douter que je ne t'adore!
SYLVIA . — <u>Non</u>, et vous me le répétez si souvent que je vous crois; mais pourquoi m'en persuadez-vous?
(Marivaux, *le Jeu de l'amour et du hasard*, acte III, sc. 8.)

Commentaire

La négation s'inscrit dans le cadre de l'opposition, du refus ou de l'interdit. Indice d'une tension à l'intérieur du texte, elle révèle souvent une discorde à valeur affective et dramatique.

néologisme *nom masc.*

Du grec *neos,* «nouveau», et *logos,* «mot». Un néologisme peut être créé de toutes pièces (ex. 1), ou obtenu par formation savante, par abréviation (ex. 2), par déformation ou dérivation d'un mot existant, ou encore par adaptation (ex. 3) ou adoption d'un mot étranger.

Exemples

1. Il l'emparouille et l'endosque contre terre.
   (Henri Michaux, *Qui je fus,* «le Grand Combat».)
2. Sida (sigle de *Syndrome Immuno-Déficitaire Acquis*).
3. Tour-opérateur (de l'anglais *tour operator,* «organisateur de voyages»).

Commentaire

Souvent créé pour désigner une réalité ou un objet nouveaux, le néologisme s'intègre au lexique, après plusieurs années d'usage. Outre son utilité dans une société moderne, le néologisme se rencontre parfois en poésie (ex. 1). On doit cependant se garder d'en abuser: souvent créé par une mode passagère, le néologisme ne doit pas constituer un nouveau code, parallèle à notre langue, qui serait compréhensible pour les seuls initiés. (Voir aussi la table d'orientation, *création de mots.*)

niveau de langue

Voir la table d'orientation.

nom propre

Le nom propre désigne un être ou un objet, une catégorie d'êtres ou d'objets, en les individualisant. Il se signale à la lecture par une majuscule.
Il s'oppose au nom commun en ce que celui-ci désigne un être ou un objet appartenant à une espèce.

Exemples

1. Maître <u>Corbeau</u>, sur un arbre perché,
   Tenait en son bec un fromage.
   Maître <u>Renard</u>, par l'odeur alléché,
   Lui tint à peu près ce langage :
   «Hé! bonjour, monsieur du Corbeau.
   Que vous êtes joli! que vous me semblez beau!»
   (Jean de La Fontaine, *Fables*, «le Corbeau et le Renard».)

2. Il finit par classer les hommes en <u>Maigres</u> et en <u>Gras</u>, en deux groupes hostiles dont l'un dévore l'autre, s'arrondit le ventre et jouit. (Émile Zola, *le Ventre de Paris*.)

Commentaire

Le nom propre donne une identité à l'objet ou à la personne qu'il désigne ; il en souligne le caractère unique et irremplaçable.

nombre *nom masc.*

Le nombre, qui permet de distinguer le singulier du pluriel, est avec le genre la marque essentielle des catégories de mots variables : nom, pronom, adjectif, verbe.

Exemple

Ô lac! rochers muets! grottes! forêt obscure!
(Alphonse de Lamartine, *Méditations poétiques*, «le Lac».)

Commentaire

Le nombre permet de jouer à l'infini sur la quantité des objets, des êtres et des idées. Tandis que le singulier souligne leur caractère unique et irremplaçable, le pluriel introduit l'image de la richesse et de la variété, permettant toutes sortes d'oppositions entre la rareté et l'abondance.

non-sens *nom masc.*

Un non-sens est un mot ou une phrase dépourvus de sens. Ses effets ont été largement exploités par les surréalistes.

Exemples

1. Le canapé de Paméla
   La Panapé de Caméla
   Le Panala de Camépé
   Est un beau canaquois
   Est un nabeau est un naquois
   Charmante Panapé
   Charmante Paméla
   (Robert Desnos, *Destinée arbitraire*.)

2. Avez-vous déjà vu un sourire sans chats ? (Lewis Caroll, *Alice au pays des merveilles*.)

Commentaire

Le non-sens appartient au domaine de l'absurde. Comme tel, il peut être tantôt aberrant, tantôt poétique, par son extravagance même.

→ CONTRESENS, GALIMATIAS.

octosyllabe   *nom masc.*

Vers de huit syllabes. Il comporte une coupe non obligatoire après la troisième ou la quatrième syllabe.

Exemple

Prophète! si ta main me sauve
De ces impurs démons des soirs,
J'irai prosterner mon front chauve
Devant tes sacrés encensoirs!
(Victor Hugo, *les Orientales,* «les Djinns».)

Commentaire

Vers très répandu au Moyen Âge où on le rencontrait dans le roman, le théâtre, la poésie didactique, il est plutôt réservé à l'ode et à la poésie lyrique depuis la Renaissance.

onomatopée   *nom fém.*

On appelle *onomatopée* la création d'un mot qui imite un bruit et qui suggère par cette imitation ce que l'on dénomme. Il existe des onomatopées simples, doubles...

Exemples

1. Boum.
2. Roucoulement.
3. Couin couin.
4. Eh bien, oui, Paul... (<u>blouc blouc crrrac buzzzz</u>)... vous avez parlé de tension (<u>Bzzzutttt Ziiiii-ooooou</u>, d'énervement (<u>Whaouoooo piouuuuuu haha crac crac</u>)... et vous avez raison. Allô, vous m'entendez? (<u>Blouc crac huuuuu</u>.) [Jean Vautrin, *Billy-ze-Kick*.]

Commentaire

Si certaines onomatopées sont purement imitatives, d'autres peuvent avoir servi de base à la formation d'un mot (ex. 2). Notons aussi que l'onomatopée varie parfois d'un pays à l'autre: ainsi, comme le remarquait Kristoffer Nyrop, «le cri du canard est rendu en français par *couin couin*, en danois par *rap rap*, en allemand par *gack gack*, en roumain par *mac mac*, en russe par *kriak*, en anglais par *quack*» (ex. 3). Enfin, signalons que dans tous les cas l'onomatopée présente un fort pouvoir suggestif, parfois susceptible de créer un effet comique (ex. 4).

→ ASSONANCE, HARMONIE IMITATIVE, NÉOLOGISME.

opposition   *nom fém.*

Voir la table d'orientation.

optation   *nom fém.*

Expression lyrique d'un souhait dont la réalisation dépend d'une puissance supérieure et inaccessible, l'optation est un procédé fréquent chez tous les écrivains romantiques.

Exemple

Aimables et dignes Époux! Puisse le Ciel les combler du bonheur que méritent leur sage et paisible amour, l'innocence de leurs mœurs, l'honnêteté de leurs âmes! Puisse-t-il leur donner ce bonheur précieux dont il est si avare envers les cœurs faits pour le goûter! (Jean-Jacques Rousseau, *la Nouvelle Héloïse*.)

Commentaire

L'optation, aspiration vers l'avenir, produit un ample mouvement rythmique par vagues progressives. Elle est animée d'un puissant souffle poétique.

→ EXHORTATION.

oratoire (style)

Style qui se caractérise par de longues périodes ou phrases, par une amplification de l'expression, un rythme entraînant, un niveau de langue soutenu. On rencontre le style oratoire dans des discours, des harangues, des prêches ou des oraisons.

Exemple

Dans la plupart des hommes les changements se font peu à peu, et la mort les prépare ordinairement à son dernier coup. Madame cependant a passé du matin au soir, ainsi que l'herbe des champs; le matin, elle fleurissait, avec quelles grâces, vous le savez: le soir, nous la vîmes séchée, et ces fortes expressions par lesquelles l'Écriture Sainte exagère l'inconscience des choses humaines devaient être pour cette princesse si précises et si littérales! (Bossuet, *Oraison funèbre d'Henriette d'Angleterre*.)

Commentaire

Le style oratoire marque un texte par les effets qui l'accompagnent : solennité, majesté, présence du sacré, lyrisme, enthousiasme.

ordre des mots

L'ordre des mots peut prêter à de nombreuses combinaisons : l'inversion (ex. 1), l'antéposition (déplacement d'un mot ou d'un groupe de mots à l'avant de la phrase) [ex. 2] et la postposition (déplacement à la fin de la phrase) [ex. 3] sont les principaux procédés qui permettent de varier l'ordre traditionnel pour créer des effets singuliers.

Exemples

1. Ô <u>triste</u>, <u>triste</u> était mon âme
   À cause, à cause d'une femme.
   (Paul Verlaine, *Romances sans paroles,* « Ariettes oubliées ».)

2. <u>De sa fourrure blonde et brune</u>
   Sort un parfum si doux, qu'un soir
   J'en fus embaumé, pour l'avoir
   Caressée une fois, rien qu'une.
   (Charles Baudelaire, *les Fleurs du mal,* « le Chat ».)

3. Fantôme qu'à ce lieu son pur éclat assigne,
   Il s'immobilise au songe froid de mépris
   Que vêt parmi l'exil inutile <u>le Cygne</u>.
   (Stéphane Mallarmé, *Poésies,* « Plusieurs sonnets ».)

Commentaire

L'ordre des mots, dans la phrase ou le vers, traduit la vision particulière d'un auteur : traditionnel, il projette une image d'équilibre ; inhabituel, il témoigne d'un regard singulier sur le monde. L'ordre des mots simule l'ordre de l'univers à travers la sensibilité d'un écrivain.

→ ANASTROPHE, HYPERBATE, INVERSION.

orthographe   *nom fém.*

Si le respect des règles orthographiques s'impose, la faute d'orthographe est parfois utilisée en littérature ou dans les messages publicitaires.

Exemples

1. Maintenan je sai écrir. Je mapelle Simon Larmier, et j'ai 7 an, et je sui né le 15 out 1913. (Pierre Pelot, *Je suis la mauvaise herbe.*)

2. MAXXIMUM 105.9 FM. Les années MAXXIMUM commencent.
(Publicité, 1989.)

Commentaire

Le recours à la faute d'orthographe se justifie lorsque l'on veut
montrer les défauts d'un texte, d'un document réel ou insister sur
son authenticité, par exemple lorsque l'on reproduit le courrier
qu'un enfant est censé avoir envoyé (ex. 1). Il reste discutable
lorsque, dans des slogans publicitaires, il ne vise qu'à attirer l'attention sur un produit destiné à la vente (ex. 2).

→ PHONÉTIQUE (écriture), SYLLEPSE.

ouverte (voyelle)

En phonétique, les voyelles sont classées en fonction de leur
degré d'ouverture. On oppose, de ce point de vue, les voyelles
ouvertes aux voyelles fermées.
Sont dites *ouvertes* les voyelles [ɛ] *(père),* [ɑ] *(pâte),* [ɔ] *(port),* [œ]
(beurre).

Exemples

1. Ô pâle Ophélia! belle comme la neige!
(Arthur Rimbaud, *Poésies,* «Ophélie».)
2. Pâle matin de février
Couleur de tourterelle
Viens, apaise notre querelle,
Je suis las de crier.
(Paul-Jean Toulet, *Contrerimes.*)

Commentaire

Une voyelle ouverte, isolée dans un environnement de voyelles
fermées, crée un effet de contraste expressif. Par sa tonalité
franche, elle jette sur le contexte une lumière vive.
Lorsque plusieurs voyelles ouvertes s'accumulent dans un vers ou
dans une phrase, l'effet produit est lié à l'ouverture même de la
voyelle, qui suggère des images telles que l'éclosion, l'explosion,
l'exclamation, l'évocation, etc.

→ ASSONANCE, FERMÉE (voyelle), SONORITÉ.

oxymore *nom masc.*

Appelée aussi *oxymoron* ou *antilogie,* cette figure de style permet
de rapprocher des réalités supposées incompatibles, des termes
opposés.

Exemple

Ce pyrophore humain est un <u>savant ignorant</u>, un <u>mystificateur mystifié</u>, un <u>prêtre incrédule</u>. (Honoré de Balzac, *l'Illustre Gaudissard*.)

Commentaire

L'oxymore est une antithèse développée dans un groupe nominal restreint. Son effet est celui du paradoxe : il éveille la surprise, dérange les habitudes de lecture, déstabilise les clichés. Il est souvent le résultat d'un jeu verbal.

→ ALLIANCE DE MOTS, ANTITHÈSE, PARADOXE.

palindrome *nom masc.*

Texte que l'on peut lire de gauche à droite, et inversement. Certains palindromes sont des noms communs ou des noms propres (ex. 1), d'autres sont des phrases complètes (ex. 2).

Exemples
1. Ubu, été, Laval.
2. À révéler mon nom, mon nom relèvera. (Savinien de Cyrano de Bergerac, *Histoire comique des États et Empires de la Lune et du Soleil.*)

Commentaire
Acrobatie verbale, le palindrome est fréquemment ludique, parfois forcé. Il exige une grande adresse dans la lecture.
→ JEU DE MOTS, RÉTROGRADE (rime).

parabole *nom fém.*

Récit allégorique à valeur morale et religieuse, histoire qui contient un enseignement édifiant. La parabole obéit à la chronologie. Elle met en place une série de symboles connus du lecteur et qui doivent être décodés pour produire le sens. Le Nouveau Testament est très riche en paraboles.

Exemple
Le royaume des cieux est comparable à un trésor qui était caché dans un champ et qu'un homme a découvert: il le cache à nouveau et, dans sa joie, il s'en va, met en vente tout ce qu'il a, et il achète ce champ. Le royaume des cieux est encore comparable à un marchand qui cherchait des perles fines. Ayant trouvé une perle de grand prix, il s'en est allé vendre tout ce qu'il avait, et il l'a achetée. (Nouveau Testament, l'Évangile selon saint Matthieu, XIII-XIV.)

Commentaire
La parabole a une valeur poétique incontestable, car elle s'adresse à l'imaginaire du lecteur en même temps qu'elle sollicite son intelligence. Superposant deux niveaux de lecture, elle exploite la

dimension symbolique du langage en créant un réseau d'équivalences qui fait de chaque histoire une histoire double.

→ ALLÉGORIE, SYMBOLE.

paradoxe *nom masc.*

Énoncé qui présente des réflexions incongrues, des arguments qui vont à l'encontre des coutumes, des opinions généralement admises, voire de la vraisemblance.

Exemple

La sagesse n'est pas dans la raison, mais dans l'amour. (André Gide, *les Nouvelles Nourritures*, livre I.)

Commentaire

Fondé sur une antithèse de sens, le paradoxe étonne dans un premier temps, bouleversant les habitudes de pensée. Il permet ensuite de réfléchir profondément, parfois même de rétablir une vérité enfouie sous les habitudes. «J'aime mieux être homme à paradoxes qu'homme à préjugés.» (Jean-Jacques Rousseau.)

→ ANTITHÈSE, JEU DE MOTS.

paragraphe *nom masc.*

Unité de signification composée d'une ou de plusieurs phrases. Dans un texte, les paragraphes successifs sont mis en évidence par un passage à la ligne. La mise en paragraphes favorise la lisibilité d'un texte et permet, par simple visualisation, de prendre connaissance des parties successives traduisant la progression d'une pensée ou la chronologie d'un récit.

Exemple

Tout à coup la lune se leva et, par une large trouée, inonda le sol. Alors je vis.

Le troupeau s'était arrêté entre Théotime et la source. À vingt pas en avant se dressait une femme; elle était mince, vêtue de noir. Elle aussi s'était arrêtée, au-delà du mas, dans les terres incultes; et elle semblait hésiter. Derrière elle on voyait les plants de chasselas et plus loin les grandes bornes, toutes blanches de lune. À droite, le torrent.

Les bêtes ne bougeaient plus. C'était un troupeau de pierre; je n'en croyais pas mes yeux.

Soudain la silhouette noire remua; j'entendis une plainte et elle courut vers le torrent.

(Henri Bosco, *le Mas Théotime*.)

Commentaire

Le paragraphe a une valeur rythmique. En effet, le passage à la ligne implique un ralentissement de la lecture et constitue en quelque sorte la respiration du texte.

→ BLANC.

paraphonie   *nom fém.*

Création accidentelle ou volontaire d'un mot ou d'un groupe de mots par le rapprochement de mots ou de syllabes.

Exemple

Et sa voile, ne vous déplaise,
Est moins blanche, au mât d'artimon
Que la peau de la Paimpolaise.
(Théodore Botrel, *la Paimpolaise.*)

Commentaire

La paraphonie s'accompagne d'un effet de surprise la plupart du temps chargé de comique. Elle tourne le texte en dérision en dénaturant sa signification.

→ HOMOPHONE, JEU DE MOTS.

paraphrase   *nom fém.*

Opération de reformulation qui consiste à redire d'une autre manière ce qui a déjà été dit, par exemple pour en éclairer le sens. Ce terme a aujourd'hui un sens nettement péjoratif : il désigne un discours verbeux et diffus qui répète sans expliquer.

Exemple

Une première évidence éclate aux yeux : l'éloignement du Moyen Âge, la distance irrécupérable qui nous en sépare. (Paul Zumthor, *Essai de poétique médiévale.*)

Commentaire

La paraphrase, qui entre généralement dans un système de pensée démonstratif, cherche à fortifier et à clarifier une idée en l'exprimant de deux manières différentes. Elle présente donc une incontestable valeur pédagogique. Mal comprise, elle ennuie le lecteur par sa présence inutile et encombrante.

→ REDONDANCE.

parataxe *nom fém.*

Appelée aussi *disjonction*, la parataxe désigne toute technique d'écriture qui juxtapose les mots ou les groupes de mots, en supprimant le plus grand nombre possible d'articulateurs ou mots de liaison.

Exemple

Là-bas, à l'extrémité de la pelouse, un terrain de tennis. À droite, une rangée de bouleaux et une piscine qu'on avait vidée. Le plongeoir était à moitié écroulé. (Patrick Modiano, *Rue des boutiques obscures*.)

Commentaire

Science du raccourci, la parataxe permet d'entrechoquer des expressions, de rapprocher des raisonnements. Elle vise à la surprise.

→ ANACOLUTHE, ANTITHÈSE, DISJONCTION, JUXTAPOSITION.

parenthèse *nom fém.*

Insertion dans un énoncé de détails accessoires qui interrompent momentanément l'exposé. Cet ajout, qui se fait sans lien grammatical ou logique, est signalé par les signes typographiques ( ). On peut mettre entre parenthèses un mot, un groupe de mots, une ou plusieurs phrases.

Exemples

1. Plénitude n'est pas le nom pour une fille de cet âge (<u>disons quatorze ans</u>), et pourtant elle donnait tout de suite, cette enfant, une impression de plein. (Pascal Laîné, *la Dentellière*.)
2. OTHELLO. — Il est trop tard. (<u>Il l'étouffe</u>.)
   (William Shakespeare, *Othello*, acte V, sc. 2.)

Commentaire

Ralentissant la narration, la parenthèse est souvent assimilée à une digression. Notons cependant qu'elle contribue parfois à élargir le champ du récit par l'information ou la réflexion qu'elle apporte (ex. 1). Dans une œuvre théâtrale, elle est utilisée pour signaler les indications scéniques ou didascalies (ex. 2).

→ CROCHETS, PONCTUATION, TIRET.

parodie *nom fém.*

Imitation bouffonne d'une œuvre sérieuse. Elle nécessite, pour être comprise et appréciée, une bonne connaissance de l'œuvre contrefaite. C'est pourquoi elle porte la plupart du temps sur des œuvres familières au lecteur.

Exemples

1. Percé jusques au fond du cœur
   D'une atteinte imprévue aussi bien que mortelle,
   Misérable vengeur d'une juste querelle,
   Et malheureux objet d'une injuste rigueur,
   Je demeure immobile, et mon âme abattue
   Cède au coup qui me tue.
   (Pierre Corneille, *le Cid*, acte I, sc. 6.)
2. Percé jusques au fond du cœur
   D'une insulte imprévue aussi bien que mortelle,
   Misérable vengeur d'une sotte querelle,
   D'un avare écrivain chétif imitateur,
   Je demeure stérile, et ma veine abattue
   Inutilement sue.
   (*Le Chapelain décoiffé,* parodie du *Cid* de Corneille.)

Commentaire

La parodie produit un effet comique pouvant déboucher sur une véritable satire. Elle traduit chez un auteur une remarquable maîtrise du langage et un goût prononcé pour le jeu. Elle a une valeur caricaturale.

→ CARICATURE, PASTICHE, SATIRIQUE (style).

paronomase *nom fém.*

Figure d'élocution qui rapproche deux mots — des *paronymes* — de sens différents mais de sonorités voisines.

Exemples

1. L'Amour à mort. (Titre d'un film d'Alain Resnais.)
2. En conserve, à l'huile, au naturel,
   Le thon, c'est bon.
   (Publicité, 1960.)

Commentaire

Souvent assimilées à des jeux de mots ou d'esprit, les paronomases, en superposant les sens de deux mots foncièrement différents mais phonétiquement voisins, donnent à penser inconsciemment que leurs sens ne sont pas si éloignés l'un de l'autre qu'il y paraît (ex. 1). Fréquemment employées dans les slogans publicitaires (ex. 2), elles provoquent la surprise et éveillent l'intérêt.

→ ADNOMINATION, ANTANACLASE, HOMÉOTÉLEUTE, JEU DE MOTS.

participation affective

La participation affective d'un narrateur dans son texte se traduit soit par des interventions directes sous forme de commentaires (ex. 1), soit par l'introduction d'un vocabulaire appréciatif (ex. 2).

Exemples

1. Un moment, chez le Chourineur, la bête sauvage, l'instinct sanguinaire avaient vaincu l'homme ; mais le remords avait vaincu l'instinct. <u>Cela était beau, cela était un grand enseignement</u>. (Eugène Sue, *les Mystères de Paris.*)

2. Allons, viens m'embrasser.
   Et la mégère tendit à Fleur-de-Marie son visage couperosé. <u>La malheureuse</u>, surmontant sa répugnance, approcha son front des lèvres de l'ogresse. *(Idem.)*

Commentaire

La participation affective introduit une subjectivité dans le texte et impose au lecteur une vision partiale qui n'est pas toujours dépourvue de charme. Non seulement elle imprime sur le texte la personnalité du narrateur, mais elle rompt l'unité de l'énoncé par l'inscription du temps de l'écriture dans le temps du récit. Elle enrichit ou encombre le texte, selon le cas.

→ ARGUMENT IMPLICITE, COMMENTAIRE.

participe (mode)

Mode impersonnel du verbe. Il peut être au présent (ex. 1) ou au passé (ex. 2).

Exemples

1. Le commissaire lui dit, <u>montrant</u> le dernier enchérisseur : « Va, voilà maintenant ton maître. » (André Schwarz-Bart, *la Mulâtresse Solitude.*)

2. La prisonnière, encore mal <u>habituée</u> sans doute à l'architecture des prisons […], oublia de baisser son front. (Alexandre Dumas, *le Chevalier de Maison-Rouge.*)

Commentaire

Alors que le participe présent insiste sur le déroulement de l'action, le participe passé a une valeur passive.

→ GÉRONDIF.

passé antérieur

L'un des temps composés de l'indicatif. Il exprime une action passée antérieure à une autre action passée.

Exemple

Et, quand sa fille <u>eut préparé</u> le paquet, elle ajouta qu'elle rentrerait tout de suite mettre la soupe des hommes sur le feu. (Émile Zola, *Germinal*.)

Commentaire

Le passé antérieur, comme tous les temps composés du passé, ouvre au regard une profondeur de champ qui permet de remonter très loin dans le passé. Associé, dans une même phrase, à un passé simple, il souligne la succession des gestes, des événements ou des pensées dans la marche irrévocable du temps.

passé composé

Premier des temps composés de l'indicatif. Il se forme avec un auxiliaire au présent suivi du participe passé.

Exemple

La nouvelle <u>s'est répandue</u> dans la ville que le beau valet, arrivé la veille, sera chevalier le lendemain. (Anonyme, *Lancelot du lac*.)

Commentaire

En plus de sa valeur verbale (référence au passé), le passé composé sert fréquemment à exprimer le résultat présent d'une action passée.

passé simple

Temps de l'indicatif. Il exprime une action passée complètement achevée.

Exemple

M. de Nemours <u>fut</u> tellement surpris de sa beauté que, lorsqu'il <u>fut</u> proche d'elle, et qu'elle lui <u>fit</u> la révérence, il ne <u>put</u> s'empêcher de donner des marques de son admiration. (Mme de La Fayette, *la Princesse de Clèves*.)

Commentaire

Le passé simple est le temps littéraire par excellence. Il instaure une double distance avec le lecteur: celle du temps (évocation d'un événement passé) et celle du niveau de langue (soutenu). C'est lui qui, souvent, donne à un récit une coloration recherchée.

passif *nom masc.*

Construction élaborée dans laquelle l'action est réalisée non par le sujet mais par le complément d'agent, lequel n'est pas forcément exprimé. Elle met en place une structure grammaticale où le sujet conserve sa place traditionnelle en début de phrase, d'où un décalage souvent riche de signification entre structure et fonction.

Exemple

Quand mon ami rapportait de nos courses un œil poché, un habit déchiré, il était plaint, caressé, choyé, rhabillé ; en pareil cas, j'étais mis en pénitence. (François René de Chateaubriand, *Mémoires d'outre-tombe*.)

Commentaire

La construction passive, plus sophistiquée que la construction active, confère au texte un raffinement qu'il convient de souligner. En outre, elle fait subrepticement passer le sujet dans le rôle d'objet passif et peut, dans le cas où le complément d'agent n'est pas exprimé, produire un effet énigmatique ou dramatique.

pastiche *nom masc.*

Imitation d'une œuvre, emprunt volontaire du style d'un auteur par un autre auteur. Le pastiche se distingue de la parodie en ce qu'il ne reproduit que le style d'un auteur, et non ses œuvres. « Plus un écrivain a de manières, de singularité dans le tour et dans l'expression, plus il est aisé de le contrefaire » (Jean-François Marmontel).

Exemple

Un Ange furieux fond du ciel comme un aigle,
Du mécréant saisit à plein poing les cheveux,
Et dit, le secouant : « Tu connaîtras la règle !
(Car je suis ton bon Ange, entends-tu ?) Je le veux !
Sache qu'il faut aimer, sans faire la grimace,
Le pauvre, le méchant, le tortu, l'hébété,
Pour que tu puisses faire à Jésus, quand il passe,
Un tapis triomphal avec ta charité. »
(Marcel Proust, *Contre Sainte-Beuve*, « Sainte-Beuve et Baudelaire ».)

Commentaire

Performance du langage et jeu sur le langage, le pastiche séduit ou choque par son habileté, sa hardiesse et son irrespect. Il a une valeur comique ou satirique.

→ PARODIE.

pathos   *nom masc.*

À l'origine, on désignait sous le terme de *pathos* l'ensemble des figures de style utilisées pour émouvoir un auditoire. De nos jours, le terme a pris une connotation péjorative : il désigne un pathétique déplacé, l'expression exagérée et affectée d'un sentiment.

Exemple

On a mis auprès de Virginie, au pied des mêmes roseaux, son ami Paul, et autour d'eux leurs tendres mères et leurs fidèles serviteurs. On n'a point élevé de marbres sur leurs humbles tertres, ni gravé d'inscriptions à leurs vertus ; mais leur mémoire est restée ineffaçable dans le cœur de ceux qu'ils ont obligés. (Bernardin de Saint-Pierre, *Paul et Virginie*.)

Commentaire

Cet art d'émouvoir facilement se rencontre fréquemment dans les discours, la presse à sensation, les romans ou les feuilletons populaires.

pauvres (rimes)

Rimes qui comportent un seul son identique.

Exemple

Au foyer plein d'éclairs chante gaîment le f<u>eu</u>…
Par la fenêtre on voit là-bas un beau ciel bl<u>eu</u>
(Arthur Rimbaud, *Poésies*, « les Étrennes des orphelins ».)

Commentaire

La puissance sonore de la rime est en rapport direct avec sa richesse. La rime pauvre est la plus facile des rimes ; elle peut paraître relâchée.

→ RICHES (rimes), SUFFISANTES (rimes).

pentasyllabe   *nom masc.*

Vers de cinq syllabes. Sa cadence est le plus souvent 2+3 ou 3+2. Elle peut être 1+4.

Exemple

D'étranges syllabes
Nous viennent encor ;
Ainsi, des Arabes
Quand sonne le cor,
Un chant sur la grève

Par instants s'élève,
Et l'enfant qui rêve
Fait des rêves d'or.
(Victor Hugo, *les Orientales*, «les Djinns».)

Commentaire

Comme la plupart des vers impairs, le pentasyllabe est rare. Il arrive que l'utilisation de la cadence 1+4 accentue son déséqui libre. Alerte, asymétrique, il est propre à traduire des moments fugitifs, des impressions fugaces. On le rencontre parfois dans les chansons.

→ IMPAIR (vers).

performatif *adj.*

Dans la terminologie du linguiste John Austin, un énoncé est dit *performatif* lorsqu'il associe le mot à l'acte, lorsque *dire*, c'est *faire*.
«Dans l'énoncé performatif, l'acte s'identifie avec l'évocation de l'acte» (Émile Benveniste).

Exemple

D'Artagnan s'avança.
— Devant Dieu et devant les hommes, dit-il, j'accuse cette femme d'avoir empoisonné Constance Bonacieux, morte hier soir.
Il se retourna vers Porthos et vers Aramis.
— Nous attestons, dirent d'un seul mouvement les deux mousquetaires.
(Alexandre Dumas, *les Trois Mousquetaires*.)

Commentaire

Un énoncé performatif introduit la dynamique de l'action dans la parole. Accompagné d'une application pratique dont on peut immédiatement mesurer les effets, il souligne l'aspect opérationnel de certains mots.

périphrase *nom fém.*

La périphrase consiste à employer plusieurs mots au lieu d'un seul pour désigner ou qualifier une personne ou une chose.

Exemples

1. Et le char vaporeux de la reine des ombres
   (Alphonse de Lamartine, *Méditations poétiques*, «l'Isolement».)
2. Les commodités de la conversation [les fauteuils]. (Expression des précieux du XVIIe s.)

Commentaire

Certaines périphrases sont utiles car elles participent de l'univers poétique (ex. 1). D'autres sont inutiles car elles correspondent à un phénomène de mode : les précieux du XVIIe siècle en abusaient (ex. 2). Trop de périphrases ressassées aboutissent à une banalisation de l'expression et à des clichés. Cependant, on doit dans certains cas appeler Paris *Paris,* et dans d'autres cas *la capitale de la France.*

→ CLICHÉ.

péroraison *nom fém.*

Dernière partie d'un discours. Elle présente, sous forme de conclusion, l'essentiel de l'argumentation et cherche à émouvoir le lecteur ou l'auditeur.

Exemple

Vous avez perdu ces heureux moments où vous jouissiez des tendresses d'une mère qui n'eut jamais son égale ; vous avez perdu cette source inépuisable de sages conseils ; vous avez perdu ces consolations qui, par un charme secret, faisaient oublier les maux dont la vie humaine n'est jamais exempte. Mais il vous reste ce qu'il y a de plus précieux : l'espérance de la rejoindre dans le jour de l'éternité, et, en attendant, sur la terre, le souvenir de ses instructions, l'image de ses vertus et les exemples de sa vie. (Bossuet, *Oraisons funèbres*, « Oraison funèbre d'Anne de Gonzague de Clèves, princesse palatine ».)

Commentaire

Par sa tournure récapitulative, la péroraison projette une vision mathématique du monde : les idées y sont exposées selon un ordre qui ne laisse rien au hasard et qui interdit toute interprétation fantaisiste. Cependant, cette rigueur de la forme est tempérée par le lyrisme du ton qui ouvre pompeusement une brèche à l'émotion.

→ EXORDE.

personnelle (construction)

Une construction est dite *personnelle* lorsque le sujet du verbe est un pronom personnel, un nom ou un groupe nominal.

Exemple

Devant les moutons, l'homme était seul.
Il était seul. Il était vieux. Il était las à mort. Il n'y avait qu'à voir son traîné de pied, le poids que le bâton pesait dans sa main.
(Jean Giono, *le Grand Troupeau*.)

Commentaire

Dans une construction personnelle, le sujet constitue un pôle attractif de première importance à l'intérieur de la phrase ou du vers. En outre, la construction personnelle, qui répond au schéma classique de la phrase, est plus neutre, moins élaborée que la construction impersonnelle.

→ IMPERSONNELLE (construction).

personnification *nom fém.*

Par le procédé de la personnification, on représente des abstractions ou des choses par des hommes ou des femmes.

Exemple

Il appelle <u>la Mort</u>. <u>Elle</u> vient sans tarder,
Lui demande ce qu'il faut faire.
(Jean de La Fontaine, *Fables,* «la Mort et le Bûcheron».)

Commentaire

Devenue réalité concrète, l'abstraction frappe plus vigoureusement le lecteur et permet à l'auteur d'exprimer ses idées par métaphore, métonymie ou synecdoque.

→ ALLÉGORIE, MÉTAPHORE, MÉTONYMIE, PROSOPOPÉE, SYMBOLE, SYNECDOQUE.

phonétique (écriture)

Transcription des sons sans tenir compte de l'orthographe.

Exemple

<u>Doukipudonktan</u>, se demanda Gabriel excédé. Pas possible, ils se nettoient jamais. (Raymond Queneau, *Zazie dans le métro.*)

Commentaire

Un mot phonétique exige un gros effort de lecture pour être identifié. Sa physionomie inhabituelle crée forcément un effet de surprise, souvent doublé d'un effet comique.

phrase *nom fém.*

(Voir aussi la table d'orientation.)

◆ phrase nominale

Phrase qui ne comporte pas de verbe conjugué. Extrêmement expressive, elle peut se réduire à un seul mot.

Exemple

Un humour... Un humour féroce. Macabre. Macabre et candide. Une sorte d'innocence. Clair. Sombre. Perçant. Confiant. Souriant. Humain. Impitoyable. Sec. Moite. Glacé. Brûlant. Il me transporte dans un monde irréel. (Nathalie Sarraute, *les Fruits d'or*.)

Commentaire

La phrase nominale, par son caractère synthétique, rythme lourdement le discours. Elle traduit généralement des idées fermes, voire impérieuses, et souvent l'émergence d'une pensée qui s'exprime aussitôt que conçue.

Plusieurs phrases nominales enchaînées les unes aux autres produisent parfois un effet de dislocation de la parole et de dispersion du sens.

◆ phrase courte

Phrase dont la longueur n'excède pas quelques mots, voire un ou deux mots.

La notion de longueur d'une phrase peut varier en fonction du contexte : souvent, une phrase est dite *courte* par rapport aux phrases qui l'encadrent.

Exemple

Il voyagea.
Il connut la mélancolie des paquebots, les froids réveils sous la tente, l'étourdissement des paysages et des ruines, l'amertume des sympathies interrompues.
Il revint.
Il fréquenta le monde, et il eut d'autres amours encore.
(Gustave Flaubert, *l'Éducation sentimentale*.)

Commentaire

Délicate ou dure selon le contexte, la phrase courte peut traduire en peu de mots une pensée riche et profonde. Par son économie et sa précision, elle frappe l'imagination du lecteur.

◆ phrase simple

Phrase qui ne contient qu'une seule proposition.

Exemple

L'instituteur d'Olivier se nommait monsieur Joly. Son crâne chauve s'ornait de deux touffes brunes au-dessus des tempes comme le bonhomme du « Corrector ». Il fumait des cigarettes jaunes en plissant les paupières. Sur son visage de Méridional, rond et bleuté de barbe rétive, sa bouche en fraise arborait un sourire emprunt de scepticisme. (Robert Sabatier, *Trois sucettes à la menthe*.)

Commentaire

La phrase simple décompose la pensée. Elle vise avant tout à une précision qui s'accompagne souvent d'élégance mais qui peut, selon le contexte, produire une impression de sécheresse. Elle est le comble du raffinement lorsqu'elle traduit, avec une économie de mots soigneusement calculée, l'essentiel d'une pensée.

◆ phrase complexe

Phrase formée d'un système de propositions qui gravitent autour d'une ou de plusieurs propositions principales.
La phrase complexe suppose une hiérarchisation de la pensée, une logique qui combine les idées les unes aux autres.

Exemple

Si ma mémoire devait, dit-il, s'éteindre avec moi, je me consolerais d'avoir été si mal connu des hommes dont je serais bientôt oublié ; mais puisque mon existence doit être connue après moi par mes livres et bien plus par mes malheurs, je ne me trouve point, je l'avoue, assez de résignation pour penser sans impatience, moi qui me sens meilleur et plus juste qu'aucun homme qui me soit connu, qu'on ne se souviendra de moi que comme d'un monstre, et que mes écrits où le cœur qui les dicta est empreint à chaque page passeront pour les déclamations d'un Tartuffe qui ne cherchait qu'à tromper le public. (Jean-Jacques Rousseau, *Troisième Dialogue*.)

Commentaire

Susceptible de traduire toutes les nuances, toutes les subtilités, la phrase complexe témoigne d'une pensée élaborée. Construction savante et hiérarchique, elle présente un système dans lequel chaque élément est solidaire de l'ensemble. Selon son organisation interne, elle peut multiplier les effets de rythme.

pittoresque *adj. et nom masc.*

Se dit d'un style ou d'un texte où abondent les détails visuels, colorés ou imagés, les notations piquantes.

Exemple

Les Mingréliens et leurs voisins sont de très grands ivrognes. Ils surpassent en cela les Allemands et tout le Nord. Ils ne mêlent jamais leur vin. Hommes et femmes, tous le boivent pur. Lorsqu'ils sont échauffés, ils trouvent les coupes de chopine trop petites. Ils boivent dans les plats et avec la cruche. (Jean Chardin, *Voyage de Paris à Ispahan*.)

Commentaire

Le pittoresque excite la curiosité et stimule la mémoire autant que l'imagination. On peut également dire d'un texte dont l'écriture est personnalisée (argotique, familière...) qu'il est pittoresque.

→ COULEUR LOCALE, EXOTISME.

plates (rimes)

Les rimes dont la succession répond au schéma *aa bb cc dd...* sont appelées *rimes plates* ou *suivies*.

Exemple

La nuit vint; tout se tut; les flambeaux s'étei<u>gnirent</u>;
Dans les bois assombris les sources se plai<u>gnirent</u>;
Le rossignol, caché dans son nid téné<u>breux</u>,
Chanta comme un poète et comme un amou<u>reux</u>.
(Victor Hugo, *les Contemplations*, «la Fête chez Thérèse».)

Commentaire

Les rimes plates n'ont d'autre effet que d'apporter à la poésie une régularité de sonorité. Elles contribuent aussi au rythme global de la strophe.

→ CROISÉES (rimes), EMBRASSÉES (rimes).

pléonasme *nom masc.*

Répétition dans un énoncé de mots ayant le même sens.

Exemples

1. Je pense encore aux pléonasmes familiers et naïfs: <u>puis ensuite, car en effet, descendre en bas, suivre derrière</u>. (René Georgin, *Jeux de mots*.)
2. Je l'ai vu, dis-je, vu, <u>de mes propres yeux vu</u>,
   Ce qu'on appelle vu.
   (Molière, *le Tartuffe*, acte V, sc. 3.)

Commentaire

S'il est des pléonasmes qui sont des incorrections (ex. 1), il en est d'autres qui sont de véritables figures de style (ex. 2), permettant à l'écrivain d'amplifier sa pensée, de renforcer son expression ou de produire un effet comique.

→ AMPLIFICATION, REDONDANCE, RÉPÉTITION.

plus-que-parfait *nom masc.*

Deuxième temps composé de l'indicatif. On le forme au moyen d'un auxiliaire à l'imparfait suivi d'un participe passé.

Exemple

Et elles parlèrent toutes ensemble. Le fantôme leur <u>était apparu</u> sous les espèces d'un homme en habit noir qui <u>s'était dressé</u> tout à coup devant elles. (Gaston Leroux, *le Fantôme de l'Opéra*.)

Commentaire

Traduisant une action passée, le plus-que-parfait indique que cette action est antérieure dans le passé à une autre action passée, exprimée à l'imparfait ou au passé simple.

point *nom masc.*

Marque de la fin d'une phrase simple ou complexe.

Exemples

1. J'examinai la compagnie. Il y avait deux jeunes garçons de ferme du Dakota en casquettes de base-ball rouges. (Jack Kerouac, *Sur la route*.)
2. L'homme marchait. Assez vite. Cosette le suivait sans peine. Elle ne sentait plus la fatigue. (Victor Hugo, *les Misérables*, 2ᵉ partie.)

Commentaire

Le point aère le texte (ex. 1). Il permet au lecteur de reprendre souffle. Lorsque la phrase est trop longue, il convient de la couper par des points. La multiplication des points permet dans certains cas de créer une harmonie imitative. Dans l'exemple 2, les points soulignent le rythme de la marche. [Voir aussi la table d'orientation, *ponctuation*.]

→ PONCTUATION.

◆ point-virgule *nom masc.*

Il indique une pause de durée moindre que le point entre deux propositions de même nature ou des membres de phrase subdivisée par des virgules.

Exemple

Du repos des humains implacable ennemie
J'ai rendu mille amants envieux de mon sort;
Je me repais de sang et je trouve ma vie
Dans les bras de celui qui recherche ma mort.
(Nicolas Boileau, *Satires*.)

Commentaire

Le point-virgule indique que les deux phrases qu'il sépare sont cependant étroitement liées par le sens, par le raisonnement, parfois même par la syntaxe.

◆ deux-points

Les deux-points annoncent une explication (ex. 1), un complément d'information, une énumération (ex. 2). Ils précèdent les guillemets lorsqu'ils introduisent une citation, une réplique (ex. 3).

Exemples

1. Une jungle étouffe ce monument si aéré, et ombrage ce monument sans ombre : la forêt des mots qu'il ne cesse de faire pousser dans toutes les langues. (Jack Thieuloy, *l'Inde des grands chemins*.)
2. Il y avait aussi toute une série de formules que Som-Nian et ses amis apprenaient par cœur : la formule de demande de catalogue, de demande d'emploi, de demande de fusil, de souhaits de bonne année, de souhaits de bonne guérison. (Bernard Dadié, *les Jambes du fils de Dieu*.)
3. Il s'éloigna en se disant à lui-même : « C'est du verjus. » (Ésope, *le Renard et les Raisins*.)

Commentaire

Les deux-points permettent d'aérer le texte car ils remplacent souvent des conjonctions de subordination ou de coordination (ex. 1). Ils font partie des signes conventionnels du dialogue (ex. 3).

◆ point d'interrogation

Il se place à la fin de la phrase pour indiquer que l'on pose une question (ex. 1). Il apparaît parfois entre parenthèses après un mot (ex. 2) ou lorsqu'on hésite sur une date (ex. 3) ou qu'on l'ignore.

Exemples

1. Suis-je en contradiction avec moi-même ? (Alexis de Tocqueville, *De la démocratie en Amérique*.)
2. On dénombrait ce jeudi-là près de 500 000 (?) personnes dans le stade.
3. Pierre de Marbeuf (1596 ? - 1645).

Commentaire

L'interrogation est parfois oratoire : son interprétation comme telle dépend du contexte ; elle équivaut alors à une affirmation (ex. 1). Lorsque le point d'interrogation apparaît entre parenthèses, il indique par convention que l'auteur n'est pas sûr de ce qu'il avance, que ses sources sont controversées (ex. 2).

→ INTERROGATION.

◆ point d'exclamation

Le point d'exclamation remplace le point lorsque le scripteur désire insister sur l'expression d'un sentiment, d'une émotion. En outre, on le trouve après une interjection (ex. 2).

Exemples

1. Puisque vous vous conduisez de cette manière... Je m'en vais! Je ne reviendrai pas! (Fernando Arrabal, *la Cucaracha*.)
2. MONSIEUR JOURDAIN. — Ah! Monsieur, je suis fâché des coups qu'il vous a donnés.
   (Molière, *le Bourgeois gentilhomme,* acte II, sc. 4.)
3. C'était un abus (!) de pouvoir.

Commentaire

Le point d'exclamation peut aussi bien souligner la peur que la fureur (ex. 1), la joie que la colère... On peut le rencontrer entre parenthèses, après un mot: il exprime alors le sentiment personnel de l'auteur (indignation, dérision...) par rapport à l'idée exprimée (ex. 3).

→ EXCLAMATIVE (phrase).

◆ points de suspension

Ils indiquent que la phrase n'est pas complète, qu'on laisse au lecteur le soin de la terminer. Ils peuvent aussi remplacer les dernières lettres d'un nom.

Exemples

1. Ce n'est pas la peine de gueuler comme ça... (Guy de Maupassant, *Bel-Ami.*)
2. *La P... respectueuse.* (Titre d'une pièce de Jean-Paul Sartre.)

Commentaire

Les points de suspension participent au suspense de la phrase. Ils indiquent le désarroi et les hésitations d'un personnage (ex. 1), l'étrangeté d'une situation. En outre, on les utilise pour cacher l'identité de quelqu'un ou obéir aux règles de la bienséance (ex. 2).

→ APOSIOPÈSE, RÉTICENCE.

pointe *nom fém.*

Ce terme, un peu vieilli, désigne un jeu de mots ou un trait d'esprit qui ponctue un texte de prose ou de poésie.

Exemple

Et quand tu vois ce beau carrosse
Où tant d'or se relève en bosse
Qu'il étonne tout le pays,
Et fait pompeusement triompher ma Laïs,
Ne dis plus qu'il est amarante,
<u>Dis plutôt qu'il est de ma rente</u>.
(Molière, *les Femmes savantes*, acte III, sc. 2.)

Commentaire

La pointe donne un tour vif à la conversation, créant un effet de surprise et mettant en valeur son auteur. Au XVIIᵉ siècle, les précieux l'ont mise à la mode.

→ CHUTE, IRONIE.

polémique (style)

Style combatif qui cherche à démontrer et à convaincre à partir d'une prise de position ferme sur une question précise.
Il utilise toutes les ressources de l'argumentation et de la rhétorique au service de la cause qu'il défend.

Exemple

Or si du journal politique on pénètre au Parlement, on remarque bien vite que dans les discussions orageuses, les insolences, les expressions sentant les querelles de palefreniers partent autant de droite que de gauche, sinon plus. On donnait jadis aux grands orateurs le surnom poétique de «Bouche-d'Or». Quant à nos parleurs politiques, si un nom peut leur aller, c'est celui de «Bouche-d'Égout.» (Guy de Maupassant, *le Gaulois*, 28 décembre 1881.)

Commentaire

Le style polémique, provocateur par essence, produit par la vivacité de ses remarques et de ses attaques un effet caustique cherchant à susciter une réaction instantanée chez le lecteur.

→ SATIRIQUE (style).

polysémie *nom fém.*

Par opposition à la *monosémie,* un mot est dit *polysémique* lorsqu'il a plusieurs sens dans un contexte donné.

Exemple

Je vois fuir l'été avec une sorte de désespoir. (André Gide, *Journal*.)

Commentaire

Bien que la polysémie soit affaire de contexte, on peut deviner dans l'exemple cité que le mot *été* a plusieurs sens : la saison chaude, mais aussi la saison du bonheur, la liberté, la disponibilité...

→ CONNOTATION, MONOSÉMIE.

poncif *nom masc.*

Tradition de pensée ou d'écriture, un poncif, en littérature, désigne un thème ou un mode d'expression qui a servi de modèle à plusieurs générations d'écrivains, et qui est devenu une formule usée.

Exemple

— Allons, mon cher d'Artagnan, un peu de courage ! C'est quand on est au plus bas de la roue que la roue tourne et vous élève. Dès ce soir, votre sort va peut-être changer.
— Amen ! dit d'Artagnan en arrêtant le carrosse.
(Alexandre Dumas, *Vingt ans après*.)

Commentaire

D'abord compris comme *tradition* au sens noble du terme, le poncif, sous l'influence des romantiques qui renouvelèrent la langue, a pris une coloration péjorative. Désormais synonyme de banalité, d'ennui et de rigidité, il est mis en accusation par les écrivains et les lecteurs modernes épris d'originalité, et paraît artificiel.

→ BANALITÉ, CLICHÉ, LIEU COMMUN.

ponctuation *nom fém.*

Ensemble de signes (, ; . ? ! ... : — « » []) qui permettent la respiration et l'articulation de la phrase. La ponctuation est soumise à un ensemble de règles (ex. 1). Certains textes, par un choix de leur auteur, ne comportent aucun signe de ponctuation (ex. 2).

Exemple

1. Dès que le jour parut, il fut debout, et il rôdait dans la rue bien avant l'heure où les porteurs de journaux vont, en courant, de kiosque en kiosque. (Guy de Maupassant, *Bel-Ami*.)

2. Le ciel est étoilé par les obus des Boches
   La forêt merveilleuse où je vis donne un bal
   La mitrailleuse joue un air à triples-croches
   (Guillaume Apollinaire, *Calligrammes,* «la Nuit d'avril 1915».)

Commentaire

La ponctuation apporte un rythme, une couleur à la phrase (ex. 1).
Si l'emploi trop massif de signes de ponctuation bloque la lisibilité
du texte, l'absence de ponctuation peut entraîner de fâcheux
contresens. Cependant, lorsque cette suppression est voulue
(ex. 2), elle confère poésie et fluidité au texte ; en outre, elle donne
une large liberté au lecteur qui peut exprimer son émotion par ses
choix de lecture. (Voir aussi la table d'orientation.)

portrait   *nom masc.*

On distingue deux types de portraits : le *portrait physique,* où l'on
insiste sur l'allure du personnage, sa démarche, son regard, sa
voix, ses tics d'expression, l'impression qu'il dégage..., et le *portrait moral* ou *caractère,* où l'on expose sa façon de se comporter,
ses défauts et ses qualités, les sentiments qu'il éprouve et ceux
qu'il suscite...

Exemple

Grande et mince jusqu'à l'exagération, elle possédait au suprême degré
l'art de faire disparaître cet oubli de la nature par le simple arrangement
des choses qu'elle revêtait. Son cachemire, dont la pointe touchait à
terre, laissait échapper de chaque côté les larges volants d'une robe de
soie... (Alexandre Dumas fils, *la Dame aux camélias.*)

Commentaire

Il est possible, pour présenter un personnage, de le faire vivre dans
son cadre, de raconter à son sujet les anecdotes les plus significatives, de le faire parler avec d'autres personnages. C'est souvent le
détail révélateur qui fait vivre un portrait.

→ DESCRIPTION.

présent   *nom masc.*

Le présent de l'indicatif traduit un moment qui se situe à la charnière du passé et du futur. Il souligne l'actualité d'un événement
qui s'inscrit dans l'ordre du réel, au moment où l'on parle.

Exemples

1. À gauche du port, un escalier de pierres sèches <u>mène</u> aux ruines, parmi
   les lentisques et les genêts. Le chemin <u>passe</u> devant un petit phare pour
   plonger ensuite en pleine campagne. (Albert Camus, *Noces.*)

2. J'arrive à l'instant.
3. J'arrive dans un instant.

Commentaire

Le présent de l'indicatif a une valeur d'instantané. C'est pourquoi il est parfaitement adapté au dialogue qui saisit la parole à sa source, et à la description qui fixe l'existence des êtres et des choses (ex. 1).

Il peut également avoir la valeur d'un passé récent (ex. 2) ou d'un futur proche (ex. 3).

◆ présent de narration

Le présent de narration, appelé aussi *présent historique,* raconte un événement passé au présent, comme s'il était contemporain du moment de l'écriture.

Exemple

Je perdais tout mon sang et j'étais un homme mort si notre charrette, la dernière de la ligne, ne se fût arrêtée devant une chaumière. Là je demande à descendre, on me met à terre. Une jeune femme, qui était debout à la porte de la chaumière, rentra chez elle et en sortit presque aussitôt avec un verre et une bouteille de vin. (Denis Diderot, *Jacques le Fataliste.*)

Commentaire

Le présent de narration place le lecteur au cœur d'une action passée qu'il actualise, la rendant ainsi plus vivante et plus authentique.

prétérition   *nom fém.*

Cette figure de rhétorique, appelée aussi *paralipse,* consiste à annoncer, sous une forme négative, que l'on va passer sous silence un événement, une idée, un sujet, attirant par là même l'attention sur lui.

Exemples

1. Sans prolonger inutilement ces détails, chacun doit voir que les liens de la servitude n'étant formés que de la dépendance mutuelle des hommes et des besoins réciproques qui les unissent, il est impossible d'asservir un homme sans l'avoir mis auparavant dans le cas de ne pouvoir se passer d'un autre. (Jean-Jacques Rousseau, *Discours sur l'origine de l'inégalité.*)

2. Je n'insisterai pas sur le fait que cette ordonnance doit entrer en vigueur aujourd'hui même. (Extrait d'une lettre administrative.)

Commentaire

Procédé assez facile pour introduire un développement, la prétérition permet de se concilier le lecteur, en allant au-devant de ses objections tout en en faisant un partenaire (ex. 1). Cette figure, fréquente dans le style oratoire, l'est aussi dans le style administratif (ex. 2) car elle permet d'atténuer un ordre, une décision.

→ ADMINISTRATIF, ARGUMENT IMPLICITE, PROLEPSE.

prolepse *nom fém.*

Figure de rhétorique qui consiste à prévenir ou devancer une objection afin de la réfuter par anticipation.

Exemples

1. <u>Vous me direz</u> que la délinquance dans nos villes s'est accrue, malgré la vigilance de notre police.

2. La gloire aujourd'hui est très rare : <u>on ne le croirait jamais</u> ; dans ce siècle de lumière et de triomphes, il n'y a pas deux hommes assurés de laisser un nom. (Paul-Louis Courier, *Lettre à Monsieur Renouard sur une tache faite à un manuscrit de Florence.*)

Commentaire

Répandue dans les techniques argumentatives, la prolepse permet de relancer le discours, de l'enrichir en donnant l'impression que l'on a pensé à tout, que l'on possède une logique implacable.

→ ARGUMENT, PRÉTÉRITION.

propre (sens)

Sens premier d'un mot, d'une expression, par opposition au sens figuré. Le sens propre (ex. 1) indique la signification concrète du mot, tandis que le sens figuré (ex. 2) présente une signification abstraite.

Exemples

1. LECHY ELBERNON. — Je suis actrice, vous savez. Je joue sur le <u>théâtre</u>.
   Vous ne savez pas ce que c'est ?
   MARTHE. — Non.
   LECHY ELBERNON. — Il y a la scène et la salle.
   (Paul Claudel, *l'Échange,* 1re version.)

2. Lui, l'homme, n'avait qu'une pensée : s'enrichir.
   Il n'y réussissait point. Un digne <u>théâtre</u> manquait à ce grand talent ;
   Thénardier à Montfermeil se ruinait, si la ruine est possible à zéro.
   (Victor Hugo, *les Misérables.*)

Commentaire

Le sens propre d'un mot est un sens objectif qui interdit toutes les interprétations symboliques. De ce fait, il produit un effet d'ancrage dans le réel. Il convient parfaitement à la description.

→ FIGURÉ (sens).

prose *nom fém.*

Forme d'expression que l'on oppose traditionnellement au vers. Elle se présente comme un enchaînement de phrases de longueur et de nature différentes.

Selon le cadre dans lequel le discours s'inscrit, on peut distinguer divers types de prose : ainsi parlera-t-on de prose d'information, de prose littéraire (ci-dessous), de prose technique, etc.

Exemple

De fait, l'amour de Swann en était arrivé à ce degré où le médecin et, dans certaines affections, le chirurgien le plus audacieux, se demandent si priver un malade de son vice ou lui ôter son mal, est encore raisonnable ou même possible. (Marcel Proust, *Un amour de Swann*.)

Commentaire

De la prose neutre, qui sert à la communication ordinaire, à une prose plus spécialisée, il existe autant de proses que de discours. Ainsi, pour en apprécier à la fois la qualité et les effets, devra-t-on l'aborder du point de vue de la syntaxe, du lexique, des sonorités, du rythme, de la signification explicite et implicite.

prosopopée *nom fém.*

Procédé de style qui consiste à invoquer un être absent ou mort, un animal, une abstraction, en lui donnant la parole.

Exemple

Ébloui de l'éclat de la splendeur mondaine,
Je me flattai toujours d'une espérance vive,
Faisant le chien couchant auprès d'un grand seigneur.
Je me vis toujours pauvre et tâchai de paraître,
Je vécus dans la peine, attendant le bonheur,
Et mourus sur un coffre en attendant mon maître.
(Tristan l'Hermite, *les Vers héroïques*, « Prosopopée d'un courtisan ».)

Commentaire

Souvent proche de la personnification, la prosopopée émeut le lecteur : les paroles prononcées, qui semblent venir d'un autre monde, deviennent incontestables, sacrées.

→ PERSONNIFICATION, SYMBOLE.

proverbe *nom masc.*

Formule sentencieuse et édifiante chargée de bon sens populaire. Le proverbe traduit la sensibilité collective d'un groupe social; il est l'expression d'une culture particulière.

Exemple

— Voilà papa, dit Eugénie.
Elle ôta la soucoupe au sucre, en en laissant quelques morceaux sur la nappe. Nanon emporta l'assiette aux œufs. Madame Grandet se dressa comme une biche effrayée. Ce fut une peur panique de laquelle Charles s'étonna, sans pouvoir se l'expliquer.
— Eh! bien, qu'avez-vous donc? leur demanda-t-il.
— Mais voilà mon père, dit Eugénie.
— Eh! bien?...
Monsieur Grandet entra, jeta son regard clair sur la table, sur Charles, il vit tout.
— Ah! ah! vous avez fait fête à votre neveu, c'est bien, très bien, c'est fort bien! dit-il sans bégayer. Quand le chat court sur les toits, les souris dansent sur les planchers
(Honoré de Balzac, *Eugénie Grandet*.)

Commentaire

Généralement imagé, le proverbe a un fort pouvoir figuratif. Il traduit de façon concrète et instantanée, par le biais de l'analogie, une pensée, un concept, une idée. Moral par son contenu et son intention, il confère au texte un pittoresque parfois chargé d'humour.

→ ADAGE, APOPHTEGME.

publicitaire (style)

Le style publicitaire utilise toutes les ressources de la langue pour pousser le lecteur à acheter (ex. 1) ou à réagir à une situation (ex. 2).
Pour produire ses slogans, le style publicitaire emploie les figures relatives au signifiant (jeu de mots, calembour, apocope, syncope, assonance, paronomase, néologisme...) [ex. 1] autant qu'au signifié (antiphrase, antithèse, hypallage, hyperbole, inversion, métaphore, syllepse...) [ex. 2].

Exemples

1. Le nouveau cru de Lustucru. (Publicité, 1983.)
2. Moins on fait de bruit, plus on s'entend. (Campagne contre le bruit, ministère de l'Environnement, 1984.)

Commentaire

Le style publicitaire recherche l'impact : il tend à impressionner le lecteur autant par les sons que par les idées. Il utilise très souvent des modalités d'assertion afin de délivrer un message qui ne sera pas contesté. Il tend à influencer le lecteur dans ses achats ou ses comportements, en le séduisant, en créant chez lui des associations d'idées.

réaliste (notation)

Une notation réaliste tend à montrer le monde tel qu'il est, sans avoir recours à l'atténuation ou à la sublimation du sens chères au style classique.

Exemple

Cette première pièce exhale une odeur sans nom dans la langue, et qu'il faudrait appeler «l'odeur de pension». Elle sent le renfermé, le moisi, le rance; elle donne froid, elle est humide au nez, elle pénètre les vêtements; elle a le goût d'une salle où l'on a dîné; elle pue le service, l'office, l'hospice. (Honoré de Balzac, *le Père Goriot*.)

Commentaire

Une notation réaliste s'accompagne d'un effet choc. Par sa puissance descriptive, elle fixe le sens du mot ou de la phrase de façon incontournable. Elle éveille des sensations et des émotions particulièrement fortes.

récit *nom masc.*

Transmission orale ou écrite de faits vrais ou imaginaires.
Le mot *récit* peut être utilisé dans deux sens différents: dans le premier cas, il correspond à la narration et renvoie à l'acte de raconter; dans le second cas, il est le produit de la narration, c'est-à-dire l'histoire achevée, telle qu'elle est livrée au lecteur.

Exemple

Elle s'assit à son secrétaire, et écrivit une lettre qu'elle cacheta lentement, ajoutant la date du jour et l'heure. Puis elle dit d'un ton solennel:
— Tu la liras demain; d'ici là, je t'en prie, ne m'adresse pas une seule question!... Non, pas une!
— Mais...
— Oh! laisse-moi.
Et elle se coucha tout au long sur son lit.
(Gustave Flaubert, *Madame Bovary*.)

Commentaire

Le récit repose sur des choix d'écriture : la personne, les temps verbaux, le point de vue (objectif ou subjectif), la chronologie, la composition (narration, dialogue, portrait, description, analyse) peuvent faire l'objet de commentaires. Quelle que soit sa forme, le récit entraîne le lecteur dans l'imaginaire d'un auteur.

redondance *nom fém.*

Procédé qui consiste à répéter la même idée sous plusieurs formes.

Exemple

Lucullus ne faisait compte de toutes ces <u>plaintes et doléances</u> des soudards et ne s'en souciait point. (Jacques Amyot, d'après Plutarque, *Vie de Lucullus*.)

Commentaire

Lorsqu'elle n'est pas une simple maladresse d'expression, la redondance est un procédé d'insistance. Malgré son apparence répétitive, elle ajoute souvent une nuance à l'idée. Dans l'exemple, le mot « doléance », qui a une connotation administrative, donne un caractère officiel à la plainte.

→ AMPLIFICATION, PLÉONASME, RÉPÉTITION.

refrain *nom masc.*

Retour périodique du même groupe de vers, de la même strophe dans un poème ou une chanson.

Exemple

<u>Oh, j'ai vu, j'ai vu</u>
<u>Compèr' qu'as-tu vu ?</u>
J'ai vu une vache
Qui dansait sur la glace
À la Saint-Jean d'été
Compèr' vous mentez.
<u>Oh, j'ai vu, j'ai vu</u>
<u>Compèr' qu'as-tu vu ?</u>
J'ai vu une grenouille qui faisait la patrouille

Le sabre au côté
Compèr' vous mentez.
(Anonyme du XVIIIᵉ s., cité par Pierre Seghers, *le Livre d'or de la poésie française*.)

Commentaire

Le refrain a une valeur rythmique et mélodique. De plus, il répète l'essentiel du poème, sa signification profonde. Enfin, il fidélise l'auditeur ou le lecteur, heureux de retrouver des ensembles familiers et redondants dans l'œuvre.

→ LEITMOTIV.

régionalisme *nom masc.*

Utilisation d'une expression qui ne s'emploie que dans une ou quelques régions.

Exemple

CHARLOTTE. — Enfin, je t'aime tout autant que je <u>pis</u>; et si tu n'es pas content de ça, tu n'as qu'à en aimer <u>queuque</u> autre.
PIERROT. — Eh bien! vlà pas mon compte. <u>Testigué</u>! si tu m'aimais, me dirais-tu ça?
(Molière, *Dom Juan*, acte II, sc. 1.)

Commentaire

Ce procédé, outre l'intérêt documentaire qu'il présente, permet de rendre un récit plus crédible, d'en amplifier la couleur locale.

→ COULEUR LOCALE, DIALECTE, PITTORESQUE.

rejet *nom masc.*

Alors que l'enjambement consiste à prolonger une proposition dans le vers suivant, on appelle *rejet* la fin de cette proposition en tête du second vers. Un rejet ne dépasse généralement pas quatre syllabes.

Exemple

Si j'ai parlé
<u>De mon amour</u>, c'est à l'eau lente
Qui m'écoute quand je me penche
<u>Sur elle</u>; si j'ai parlé...
(Henri de Régnier, *Odelette*.)

Commentaire

Le procédé du rejet permet de mettre en valeur un mot ou un groupe de mots par le relief que lui confère sa place dans le vers.

→ CONTRE-REJET, ENJAMBEMENT, RYTHME DU VERS.

répétition *nom fém.*

Ce procédé consiste à exprimer plusieurs fois le même mot ou le même groupe de mots.

Exemple

<u>Rome</u>, l'unique objet de mon ressentiment !
<u>Rome</u>, à qui vient ton bras d'immoler mon amant !
<u>Rome</u> qui t'a vu naître, et que ton cœur adore !
<u>Rome</u> enfin que je hais parce qu'elle t'honore !
(Pierre Corneille, *Horace*, acte IV, sc. 5.)

Commentaire

La répétition marque l'exaltation d'un personnage, l'intensité de ses propos ou d'une action. Elle a parfois une valeur incantatoire, magique.

→ ANADIPLOSE, ANAPHORE, REDONDANCE.

reprise *nom fém.*

Reprise, sous une autre forme, d'un nom ou d'un groupe nominal précédemment employé.

Exemple

Par malheur pour <u>le comte</u>, ce soir-là le temps était chaud, étouffé, annonçant la tempête ; de ces temps, en un mot, qui dans ces pays-là, portent aux résolutions extrêmes. Comment rapporter tous les raisonnements, toutes les façons de voir ce qui lui arrivait, qui, durant trois mortelles heures, mirent à la torture <u>cet homme passionné</u> ? (Stendhal, *la Chartreuse de Parme.*)

Commentaire

La reprise permet avant tout d'éviter une répétition. Mais, grâce à ce procédé, le texte s'enrichit de notations complémentaires qui multiplient les approches d'un personnage ou d'une idée.

→ ANAPHORE, RÉPÉTITION.

réticence *nom fém.*

Figure de style par laquelle on interrompt le discours au milieu d'une phrase pour suggérer ce que l'on affecte de supprimer.
Ce procédé peut se justifier par l'émotion du sujet parlant (il n'arrive pas à trouver ses mots) ou bien par la volonté de ne pas choquer l'interlocuteur (recours à la censure).

Exemple

Mon frère, vous seriez charmé de le connaître,
Et vos ravissements ne prendraient point de fin.
C'est un homme... qui... ah!... un homme... un homme enfin!
(Molière, *le Tartuffe*, acte I, sc. 5.)

Commentaire

La réticence provoque chez le lecteur un double sentiment de frustration (comment savoir ce qui n'est pas dit?) et d'incertitude (comment recomposer la phrase interrompue?). Ce type d'interruption oblige à une lecture active puisque le sens de la phrase doit être imaginé et recomposé.

Quelle que soit son origine, la réticence a une valeur dramatique qui peut être exploitée avec bonheur au théâtre et dans toutes les situations de communication.

→ APOSIOPÈSE, POINTS DE SUSPENSION.

rétrograde (rime)

Employé surtout au Moyen Âge, ce procédé s'applique à la poésie. Il consiste à disposer les mots de telle sorte qu'on puisse lire un vers indifféremment de gauche à droite ou de droite à gauche.

Exemple

L'âme des uns jamais n'use de mal.
(Jacques Favereau, *la France consolée*.)

Commentaire

Plus acrobatique que poétique, la rime rétrograde est un palindrome étendu au vers tout entier. Il existe aussi des vers rétrogrades dont les mots — et non plus les lettres — peuvent être lus à rebours, chez la poétesse Christine de Pisan par exemple.

→ JEU DE MOTS, PALINDROME.

rhétorique *nom fém.*

La rhétorique, comprise comme l'art de bien dire, ordonne les mots et les phrases selon un ordre préétabli qui cherche avant tout à séduire et à convaincre, parfois au détriment de la vérité. (Voir aussi la table d'orientation.)

◆ rhétorique (style)

Un style est dit *rhétorique* lorsqu'il obéit à des règles convenues et répertoriées qui ne laissent aucune place à la création personnelle.

Exemple

La mère pieuse de Louis n'écouta les censures du monde sur l'éducation du jeune roi, que pour se féliciter de les avoir méritées : on est sûr d'être dans la bonne voie, dès qu'on a choisi celle que le monde condamne. Aussi, instruit de bonne heure dans la foi et dans la piété, Louis porta sur le trône, outre l'innocence du premier âge, la grâce de l'onction sainte qui venait de le marquer du caractère auguste de la royauté, et l'établir successeur du grand Clovis. Un règne commencé avec cette grâce qui consacre les rois et les fait régner saintement, ne pouvait qu'être saint et glorieux. (Jean-Baptiste Massillon, *Sermon pour le jour de Saint-Louis, roi de France*.)

Commentaire

L'expression *style rhétorique* s'accompagne aujourd'hui d'une nuance péjorative : elle met en cause l'aspect apprêté du discours, sous-entend qu'un auteur qui utilise des modèles et des formules pour traduire sa pensée n'est qu'un exécutant dépourvu de génie. Pourtant, le style rhétorique peut s'enrichir de la personnalité d'un auteur ; les règles du discours, lorsqu'elles sont parfaitement maîtrisées, peuvent favoriser l'expression d'une pensée originale. La technique ne permet plus seulement d'imiter : elle donne alors le pouvoir de créer.

riches (rimes)

On dit de deux rimes qu'elles sont *riches* lorsqu'elles comportent trois sons identiques.

Exemple

Comme je descendais des Fleuves impas*sibles*,
Je ne me sentis plus guidé par les ha*leurs* :
Des Peaux-Rouges criards les avaient pris pour *cibles*,
Les ayant cloués nus aux poteaux de cou*leurs*.
(Arthur Rimbaud, *Poésies*, « le Bateau ivre ».)

Commentaire

La rime riche est la plus recherchée des rimes. Elle utilise toutes les capacités sonores des mots qu'elle met en valeur.

→ LÉONINE (rime), PAUVRES (rimes), SUFFISANTES (rimes).

rime *nom fém.*

(Voir aussi la table d'orientation, *versification.*)

◆ rimes pour l'œil

On parle de *rimes pour l'œil* lorsque deux vers se terminent par les mêmes lettres, alors que la prononciation de ces lettres est différente d'un vers à l'autre.
Ces rimes sont également appelées *rimes normandes.*

Exemple

Hé bien! brave Acomat, si je leur suis si <u>cher</u>,
Que des mains de Roxane ils viennent m'arra<u>cher</u>.
(Jean Racine, *Bajazet*, acte II, sc. 3.)

Commentaire

Les rimes pour l'œil sont souvent le résultat d'un changement survenu dans la prononciation d'un mot. Deux mots qui, à l'origine, rimaient ensemble ne présentent plus désormais qu'une similitude orthographique.
L'aspect factice de la rime mobilise l'attention du lecteur et introduit dans le texte une subtilité à valeur esthétique ou comique.

rythme *nom masc.*

(Voir aussi la table d'orientation.)

◆ rythme de la phrase

Le rythme d'une phrase est marqué par le retour, à intervalles réguliers, de temps forts et de temps faibles. Mouvement de la phrase, il traduit le mouvement de la pensée.
Pour analyser le rythme d'une phrase, d'un vers, d'un paragraphe ou d'une strophe, on doit d'une part repérer les accents d'intensité sur les mots, d'autre part évaluer les effets de la ponctuation.

Exemple

Elle arrive, on lui montre le ruban, je la charge effrontément, elle reste interdite, se tait, me jette un regard qui aurait désarmé les démons et auquel mon barbare cœur résiste. (Jean-Jacques Rousseau, *les Confessions*.)

Commentaire

Le rythme donne à la phrase une impulsion, un élan pouvant se moduler à l'infini en fonction de la distribution des syllabes accentuées, de la longueur et de la sonorité des mots, de la ponctuation. Tour à tour, le rythme peut être lent ou rapide, brisé ou continu, lourd ou léger. En harmonie ou en opposition avec le sens de la phrase, il est un des signifiants essentiels du discours.

→ MUSICALITÉ.

◆ rythme du vers

Le rythme du vers est marqué par le retour à intervalles déterminés d'un certain nombre de syllabes plus accentuées que les autres. Y contribuent également les coupes et les césures. Par exemple, l'alexandrin comporte quatre accents rythmiques, deux libres et deux obligatoires à la fin de chaque hémistiche.

Exemple

Comme un vol/de gerfauts/hors/du charnier natal
(José Maria de Heredia, *les Trophées,* «les Conquérants».)

Commentaire

La musicalité d'un vers dépend de son rythme. On peut assimiler le rythme à des «changements de vitesse». Dans l'alexandrin par exemple, les rythmes les plus intéressants sont les plus réguliers, monotones et inexpressifs (3+3+3+3), ou les plus rares, surprenants et vivants (1+5+1+5). Notons le rythme de l'alexandrin romantique: 4+4+4.

◆ rupture de rythme

Brusque interruption du mouvement régulier d'un vers ou d'une phrase.

Exemple

Mon cœur ma mie mon âme
Mon ciel mon feu ma flamme
Mon corps ma chair mon bien
Voilà que tu reviens.
(Jacques Brel, *Litanies pour un retour*.)

Commentaire

La rupture de rythme ranime le vers ou la phrase en introduisant, de façon inattendue, une variante dans l'harmonie rythmique. Créant un effet de contraste, elle met en valeur, par ricochet, les deux unités qui se télescopent.

S

satirique (style)

Manière d'écrire qui se propose de dénoncer, sur un mode plaisant, les vices et les ridicules d'un individu ou de la société.
Le style satirique utilise de nombreuses figures telles que l'allusion, l'ironie, l'antithèse, etc.

Exemple

Se donner un maître à trois ou quatre cents lieues de chez soi ; attendre pour penser que cet homme ait paru penser ; n'oser juger en dernier ressort un procès entre quelques-uns de ses concitoyens que par des commissaires nommés par cet étranger ; n'oser se mettre en possession des champs et des vignes qu'on a obtenus de son propre roi sans payer une somme considérable à ce maître étranger [...] c'est là en partie ce que c'est que d'admettre un pape ; ce sont là les libertés de l'Église gallicane. (Voltaire, *Dictionnaire philosophique*, «Pierre».)

Commentaire

Le style satirique, paradoxal par nature, produit un double effet de comique et de sérieux. Habile, il masque sa violence derrière la vivacité du ton et le piquant de la pensée.

→ PARADOXE, POLÉMIQUE (style).

sigle *nom masc.*

Suite de lettres initiales constituant une abréviation.

Exemples

1. S.N.C.F. : Société Nationale des Chemins de fer Français.
2. G.O. et G.M. : Gentil Organisateur et Gentil Membre (du Club Méditerranée).
3. B.N. : Bibliothèque Nationale.

Commentaire

Le sigle traduit une convention entre les divers membres d'une société. La compréhension du sigle nécessite en effet des habitudes de pensée et de lecture propres à une communauté culturelle.

Passé dans l'usage, il se substitue souvent à l'expression d'origine au point de la faire oublier. Par sa forme raccourcie, il a un aspect pratique qui explique son succès, notamment dans les documents d'information.

→ ACRONYME.

sonore (consonne)

Une consonne est dite *sonore* lorsque le souffle qui la produit comporte des vibrations des cordes vocales.
En voici la liste en français : *b, d, g, m, n, gn, ng, v, z, j, l, r.*

Exemple

Il courut d'abord vivement
joyeusement, le vent du large
entrait dans ses poumons.
(Jean Tardieu, *le Fleuve caché*, « le Jeune Homme et la Mer ».)

Commentaire

Par leur éclat, les consonnes sonores donnent au vers ou à la phrase une résonance forte qui souvent alimente le sens. Elles peuvent être particulièrement suggestives dans un contexte qui présente une dominante de consonnes sourdes.

→ ALLITÉRATION, SONORITÉ, SOURDE (consonne).

sonorité   *nom fém.*

Qualité des sons qui composent la langue. L'étude des sonorités est un des aspects essentiels de la poésie.

Exemple

Les obus miaulaient un amour à mourir
(Guillaume Apollinaire, *Calligrammes*.)

Commentaire

Les sonorités de la langue sont suggestives en elles-mêmes et les unes par rapport aux autres.
Elles éveillent toutes sortes de sensations chez l'auditeur et, si leur interprétation est souvent subjective, elles ont néanmoins une valeur constante liée à leur nature. Ainsi opposera-t-on les voyelles ouvertes *(a, o)* aux voyelles fermées *(i, u),* ou les consonnes sourdes *(p, t, k, f, s, ch)* aux consonnes sonores correspondantes *(b, d, g, v, z, j).* La valeur constante des sons est répertoriée dans les tableaux phonétiques de la langue française. (Voir aussi la table d'orientation, *son.*)

sourde (consonne)

Une consonne est dite *sourde* lorsque, pour la prononcer, on ne fait pas vibrer les cordes vocales.

Voici la liste des consonnes sourdes en français : *p, t, k, f, c, s, ch.*

Exemple

Chaque fleur s'évapore ainsi qu'un encensoir,
Le violon frémit comme un cœur qu'on afflige.
(Charles Baudelaire, *les Fleurs du mal*, «Harmonie du soir».)

Commentaire

Une dominante de consonnes sourdes peut donner à la phrase ou au vers de la profondeur, de la délicatesse ou du mystère. Elle produit généralement un effet d'amorti qui peut souligner le sens, par mimétisme ou par contraste.

→ ALLITÉRATION, SONORE (consonne), SONORITÉ.

soutenu (niveau de langue)

Niveau de langue littéraire ou recherché. On ne s'y permet aucun écart par rapport à la syntaxe et à la sémantique. On y pratique même une recherche certaine d'expression.

Exemple

Le ciel lui-même mentait parfois quand, inversant sa hauteur sur le mercure des lagunes, il s'enfonçait à des profondeurs insondables comme le firmament. (Alejo Carpentier, *le Partage des eaux*.)

Commentaire

Le niveau de langue soutenu se caractérise par la recherche de la précision dans les termes et dans les structures. On peut l'employer à l'écrit dans les romans, les dissertations, à l'oral dans les conférences, les communications scientifiques ou savantes.

stéréotype *nom masc.*

→ CLICHÉ.

subjonctif (mode)

Le subjonctif comporte quatre temps : le présent, l'imparfait, le passé, le plus-que-parfait.

Exemple

J'ai craint un instant qu'il ne voulût continuer et qu'il ne courût après nous sur la grand-route. (Karen Blixen, *Ma ferme africaine*.)

Commentaire

Au contraire de l'indicatif, mode de la réalité, le subjonctif est le mode de l'hypothèse, parfois du souhait. Il indique que l'on ne s'engage pas sur ce que l'on dit. Notons que le subjonctif a des moyens d'expression limités par rapport à l'indicatif: il n'a pas de futur.

sublime *nom masc.*

Dans l'esthétique des classiques et des romantiques, désigne un style ou un ton propre à évoquer les belles et grandes idées, les sujets qui touchent aux problèmes fondamentaux (la vie, la mort, Dieu...).

Exemple

Ô Dieu! encore une fois, qu'est-ce que de nous? Si je jette la vue devant moi, quel espace infini où je ne suis pas! Si je la retourne, quelle suite effroyable où je ne suis plus, et que j'occupe peu de place dans cet abîme immense du temps! Je ne suis rien. (Bossuet, *Sermon sur la mort*.)

Commentaire

Malgré ses beautés, le sublime est souvent qualifié de nos jours de grandiloquent, de boursouflé. Il est cependant l'expression d'une époque où le sacré était au centre des pratiques quotidiennes et impressionnait les peuples par la force de son expression.

→ ORATOIRE (style).

subordination *nom fém.*

La subordination consiste à relier deux propositions par un lien de dépendance absolu. Ce lien peut être une conjonction de subordination (ex. 1), un pronom relatif, un pronom, un adjectif ou un adverbe interrogatifs. Seules les subordonnées infinitives ou participiales s'attachent à la proposition principale uniquement par le sens (ex. 2).

Exemples

1. Ce prince était aussi tellement hors de lui-même qu'il demeurait immobile à regarder Mme de Clèves, sans songer <u>que</u> les moments lui étaient précieux. (Mme de La Fayette, *la Princesse de Clèves*.)
2. Pendant la nuit il vit aux fentes du tombeau
   <u>Briller quelque clarté,</u> spectacle assez nouveau.
   (Jean de La Fontaine, *Contes*, «la Matrone d'Éphèse».)

Commentaire

La subordination permet de former un système, c'est-à-dire une construction élaborée dans laquelle une pièce maîtresse (la proposition principale) gère les pièces complémentaires (les propositions subordonnées).

Ce type de construction traduit une vision hiérarchique du monde où chaque élément est subordonné à un autre pour former une unité. Par la subtilité de sa composition, il produit une impression d'ordre, d'équilibre et de cohérence.

→ CONJONCTION, COORDINATION, JUXTAPOSITION, PHRASE COMPLEXE.

suffisantes (rimes)

On dit de deux rimes qu'elles sont *suffisantes* lorsqu'elles comportent deux sons identiques.

Exemple

Éternelles Ond<u>ines</u>,
Divisez l'eau f<u>ine</u>.
Vénus, sœur de l'az<u>ur</u>,
Émeus le flot p<u>ur</u>
(Arthur Rimbaud, *Vers nouveaux,* «Comédie de la soif».)

Commentaire

La rime suffisante est la plus commune des rimes. Elle ne nécessite pas un très lourd travail sur les sonorités.

→ PAUVRES (rimes), RICHES (rimes).

superlatif *nom masc.*

Système de comparaison marquant l'infériorité ou la supériorité relative ou absolue. Contrairement au comparatif, le superlatif relatif est précédé d'un article défini.

Exemple

Son éducation, son milieu l'avaient convaincue que pour une femme la maternité est <u>le plus beau des rôles</u>. (Simone de Beauvoir, *Mémoires d'une jeune fille rangée.*)

Commentaire

Le superlatif impose une vue hiérarchique du monde, dans laquelle chaque être ou chaque objet occupe une place fixe. Traduction d'un jugement de valeur catégorique, il s'accompagne souvent d'un effet hyperbolique.

→ HYPERBOLE.

syllepse *nom fém.*

La syllepse consiste à réaliser l'accord selon le sens et non selon la grammaire. On peut parler d'accord logique.

Exemple

Dans la foule des romanciers, qui retenir ? <u>Quantité ont</u> apparu, puis disparu. (Maurice Nadeau, *le Roman français depuis la guerre.*)

Commentaire

Le recours à la syllepse est très expressif puisqu'il oblige le lecteur à rompre avec ses habitudes orthographiques. De ce fait, la syllepse permet une mise en valeur immédiate de l'idée. On ne doit y recourir que rarement, et toujours dans un but stylistique.

syllogisme *nom masc.*

Type de raisonnement qui permet de tirer d'une vérité générale, appelée *prémisse,* une vérité particulière.

Exemple

L'homme, le cheval et le mulet vivent longtemps,
Or [tous] les animaux sans fiel sont l'homme, le cheval et le mulet,
Donc, tous les animaux sans fiel vivent longtemps.
(Cité par Jean-Pierre Dumont, *la Philosophie antique.*)

Commentaire

Le recours au syllogisme dans un texte s'explique souvent par l'envie de faire passer une déduction personnelle pour une vérité scientifique. En effet, le syllogisme revêt une apparence logique implacable, jusqu'au moment où l'on critique l'hypothèse de départ. Le syllogisme appartient aux techniques de l'argumentation explicite.

→ ARGUMENT.

symbole *nom masc.*

Représentation concrète d'une idée. Ce peut être une personnification ou une métonymie.

Exemple

Marianne est le symbole de la République.

Commentaire

Comme tout passage de l'idée à son image, de l'abstrait au concret, le symbole a une force réelle de représentation.

→ ALLÉGORIE, PERSONNIFICATION, PROSOPOPÉE.

symétrie *nom fém.*

Correspondance exacte des formes ou des rythmes dans une phrase ou dans un vers, d'une phrase à l'autre ou d'un vers à l'autre.

Exemple

Tant de fois s'appointer, tant de fois se fâcher,
Tant de fois rompre ensemble et puis se renouer,
Tantôt blâmer Amour et tantôt le louer,
Tant de fois se fuir, tant de fois se chercher,
Tant de fois se montrer, tant de fois se cacher,
Tantôt se mettre au joug, tantôt le secouer,
Avouer sa promesse et la désavouer,
Sont signe que l'Amour de près nous vient toucher.
(Pierre de Ronsard, *Sonnets pour Hélène*.)

Commentaire

La symétrie produit un effet d'équilibre qui peut, selon le cas, donner une impression d'harmonie ou d'ennui.

→ ÉGALITÉ.

syncope *nom fém.*

Suppression d'un *e* dit *caduc* à l'intérieur d'un mot, annulation d'une syllabe interne.

Exemple

C'est un p'tit cordonnier
Qu'a eu sa préférence.
(Chanson du XVIIIe s., *Aux marches du palais*.)

Commentaire

En versification, la syncope est un choix : elle donne au vers un tour allègre ou populaire, selon le contexte où elle s'inscrit.

→ APHÉRÈSE, APOCOPE, FAMILIER (niveau de langue).

synecdoque *nom fém.*

Variété de métonymie, la synecdoque consiste à traduire un terme au moyen d'un autre terme. Les deux signifiés (le terme exprimé et le terme traduit) sont liés dans un rapport généralement quantitatif : espèce à unité (ex. 1) ou unité à espèce (ex. 2), tout à partie (ex. 3) ou partie à tout (ex. 4). Le transfert peut s'opérer aussi d'objet à matière ou de matière à objet (ex. 5).

Exemples

1. J'ai acheté <u>un Doberman</u> (je cite l'espèce des Dobermans pour désigner <u>un</u> chien <u>unique</u>).
2. C'était <u>une pluie</u> très dense (je cite <u>une</u> pluie particulière pour désigner <u>la</u> pluie).
3. La nouvelle femme de ménage a ciré le <u>salon</u> (le parquet du salon).
4. Je vois un port rempli de <u>voiles</u> et de <u>mâts</u>.
   (Charles Baudelaire, *les Fleurs du mal*, «Parfum exotique».)
5. Un beau <u>marbre</u> (un bel objet en marbre).

Commentaire

Il existe deux types de synecdoques : la synecdoque particularisante (ex. 2, 4) et la synecdoque généralisante (ex. 1, 3, 5). Les effets de cette figure de style sont nombreux : mise à l'écart, individualisation par mention ethnique (ex. 1), pureté et élan poétique (ex. 4)... Si l'image créée est parfois originale, elle n'est souvent que l'expression d'un stéréotype dont l'effet est négligeable (ex. 2, 3). La synecdoque se combine très souvent avec la métonymie ou la métaphore.

→ MÉTAPHORE, MÉTONYMIE.

synérèse *nom fém.*

Réduction de deux sons en un, par opposition à la diérèse.

Exemple

<u>Juin</u> ton soleil ardente lyre
Brûle mes doigts endoloris
(Guillaume Apollinaire, *Alcools*, «la Chanson du mal-aimé».)

Commentaire

L'effet de la synérèse varie selon le contexte. Dans l'exemple cité (deux octosyllabes), la prononciation de *juin* en un seul son, une seule syllabe, suscite un rythme très rapide et ajoute à l'ardeur du soleil, rendant plus implacable la brûlure des cordes de la lyre.

→ DIÉRÈSE.

synonyme *nom masc.*

Mot dont le sens est identique à celui d'un autre mot. Il est rare cependant que deux mots soient rigoureusement équivalents. On percevra entre des synonymes des nuances que le contexte mettra en lumière. Ces nuances peuvent porter sur le degré de signification, sur la précision, sur le niveau de langue propre à chacun des termes.

Exemple

Une vague déferla, courut sur <u>la grève</u> humide et lécha les pieds de Robinson qui gisait face contre sable. À demi inconscient encore, il se ramassa sur lui-même et rampa de quelques mètres vers <u>la plage</u>. (Michel Tournier, *Vendredi ou les Limbes du Pacifique*.)

Commentaire

L'emploi de synonymes permet souvent d'éviter une répétition et de développer une idée ou une image en introduisant les nuances liées à la synonymie. Ainsi un mot se charge-t-il par ce biais de toute sa richesse de signification.

→ ANTONYME.

tautologie *nom fém.*

Redondance, répétition systématique dans laquelle la conclusion est contenue dans les prémisses.

Exemples

1. Un sou est un sou, un ordre est un ordre.
2. Dieu est Dieu, nom de Dieu. (Titre d'un pamphlet de Maurice Clavel.)
3. Amora, j'aime ta foudre.
   Moutarde Amora. Le goût de foudre.
   (Publicité, 1985.)

Commentaire

La tautologie est voisine du verbiage (ex. 1). Dans certains cas, elle est assimilable au syllogisme. Forme de l'argumentation implicite, elle est ainsi utilisée dans les slogans publicitaires (ex. 3). La tautologie est souvent l'expression d'une vérité populaire.

→ PLÉONASME, REDONDANCE, RÉPÉTITION, SYLLOGISME.

technique (style)

Forme d'expression que l'on adopte pour la rédaction des documents spécialisés, notamment dans le domaine des sciences et des techniques. Le style technique se caractérise par des phrases courtes et un vocabulaire descriptif et spécialisé.

Exemple

Mettez l'interrupteur de votre machine à écrire sur sa position d'arrêt. Retournez la machine à écrire et ouvrez le couvercle du logement à piles en le faisant glisser en direction de la flèche. (Canon Inc., 1987.)

Commentaire

Le style technique, par son intention pratique, a essentiellement une valeur démonstrative et explicative. Peu propice à l'interprétation, il fixe le sens des mots et des phrases dans une perspective utilitaire.

→ VOCABULAIRE SPÉCIALISÉ.

▌temps *nom masc.*

Voir la table d'orientation.

▌ternaire (rythme)

Rythme qui comporte trois composants, ou plusieurs groupes de trois composants.

Exemples

1. Tout cet univers <u>scolaire</u>, <u>religieux</u> et <u>carcéral</u> à la fois, n'était plus peuplé que par des ombres d'enfants et de prêtres. (Michel Tournier, *le Roi des Aulnes*.)

2. Et ces jours-là,/je vais courbé/comme un ancêtre.
   (Albert Samain, *Au jardin de l'infante*.)

Commentaire

Le rythme ternaire introduit dans la prose une régularité, une harmonie faite d'équilibre et de balancement musical (ex. 1). En poésie, il marque le choix du poète d'abandonner la coupe traditionnelle à l'hémistiche. De ce fait, le lecteur repère immédiatement le vers dont le sens et la musicalité prennent un relief surprenant (ex. 2), dont la valeur de contraste rappelle souvent la chute ou la clausule. (Voir aussi la table d'orientation, *rythme*.)

▌tétrasyllabe *adj. et nom masc.*

Vers de quatre syllabes.

Exemples

1. La voix plus haute
   Semble un grelot
   D'un nain qui saute
   C'est le galop.
   Il fuit, s'élance,
   Puis en cadence
   Sur un pied danse
   Au bout du flot.
   (Victor Hugo, *les Orientales*, «les Djinns».)

2. Les sanglots longs
   Des violons
   De l'automne
   Blessent mon cœur
   D'une langueur
   Monotone.
   (Paul Verlaine, *Poèmes saturniens*, «Chanson d'automne».)

Commentaire

Le vers de quatre syllabes est allègre, surprenant, propre à noter des réalités fugitives ou singulières (ex. 1). Rarement seul, on le rencontre mêlé à d'autres types de vers dans une strophe (ex. 2).

tiret *nom masc.*

Employé seul, le tiret précède une conclusion (ex. 1). Deux tirets isolent une remarque, une incise (ex. 2). Par ailleurs, le tiret est conventionnellement utilisé dans les dialogues pour indiquer une prise de parole (ex. 3).

Exemples

1. Leurs voix me parvenaient comme un léger et indistinct murmure, comme si elles avaient traversé d'immenses étendues à travers l'Espace — ou le Temps. (Robert Erwin Howard, *la Pierre noire*.)
2. Il était né à Alexandrie, du temps — j'imagine — où cette ville brillait encore d'un éclat singulier. (Patrick Modiano, *les Boulevards de ceinture*.)
3. — Qu'est-ce là ? lui dit-il. — Rien. — Quoi ! rien ? — Peu de chose. (Jean de La Fontaine, *Fables,* «le Loup et le Chien».)

Commentaire

L'emploi du ou des tirets est toujours expressif. Il indique au lecteur l'importance, même incidente, de ce qui est souligné.

→ PONCTUATION.

titre *nom masc.*

Inscription qui présente le contenu d'un texte (extrait, chapitre ou œuvre complète) dans une formule courte et significative. Le titre peut être informatif (ex. 1, 2) ou accrocheur (ex. 3, 4).

Exemples

1. Les <u>Fables</u> de La Fontaine.
2. Les <u>Trois Mousquetaires</u> (Alexandre Dumas).
3. <u>Mort à crédit</u> (Louis-Ferdinand Céline).
4. <u>La Dame dans l'auto avec des lunettes et un fusil</u> (Sébastien Japrisot).

Commentaire

Lorsqu'il se veut strictement informatif, un titre doit être précis et descriptif. En revanche, lorsqu'il veut étonner, émouvoir ou faire rire, il peut prendre une forme originale inspirée de figures de style comme l'antithèse, le calembour, la métaphore, etc.

tmèse *nom fém.*

Figure de construction qui consiste à disjoindre deux éléments d'un même mot, habituellement liés (ex. 1). On appelle également *tmèse* le fait d'intercaler un adverbe entre les deux membres d'une locution prépositive (ex. 2).

Exemples

1. <u>Lors</u>, par exemple, <u>qu'</u>il y a partage sur les sentiments (Denis Diderot, *le Neveu de Rameau.*)
2. Tu es très bien, ma petite Julie, dit-il à sa cousine <u>avant même d'</u>avoir examiné sa toilette. (Eugène Fromentin, *Dominique.*)

Commentaire

La tmèse appartient au niveau de langue soutenu ou archaïsant. Son effet dépend de l'époque du texte : habituelle dans les littératures classiques (XVIIe-XVIIIe siècles), elle peut révéler la préciosité ou l'humour d'un texte contemporain.

→ ARCHAÏSME, SOUTENU (niveau de langue).

ton *nom masc.*

Le ton d'un texte traduit la manière de voir d'un écrivain. Comme un peintre qui choisit les couleurs dominantes de son tableau pour produire une impression d'ensemble, un auteur donne du caractère à son texte en adoptant une tonalité générale.

Pour étudier le ton d'un texte, on examinera tous les moyens stylistiques mis en œuvre en vue d'obtenir cette tonalité générale. La gamme des tons est infinie en littérature : un ton peut être neutre, léger, moqueur, ironique, humoristique, sarcastique, grave, mélancolique, nostalgique, agressif, polémique, etc.

Exemple

L'Inquisition est, comme on sait, une invention admirable et tout à fait chrétienne pour rendre le pape et les moines plus puissants et pour rendre tout un royaume hypocrite. (Voltaire, *Dictionnaire philosophique*, «Inquisition».)

Commentaire

Le ton d'un texte fait impression sur le lecteur. De ce fait, il fait partie, sous une forme diffuse, de l'argumentation d'un auteur et, comme tel, provoque des réactions fortes de rejet ou d'adhésion. Dans l'exemple ci-dessus, le ton ironique de Voltaire a une valeur combative.

trimètre *nom masc.*

Vers qui présente trois mesures. On désigne souvent ainsi l'alexandrin romantique présentant le rythme 4+4+4.

Exemple

Il vit un œil/tout grand ouvert/dans les ténèbres.
(Victor Hugo, *la Légende des siècles,* «la Conscience».)

Commentaire

L'architecture du trimètre le singularise, en accentue les reliefs. On l'appelle plus fréquemment *rythme* ou *vers ternaire.*

→ ALEXANDRIN, MESURE, TERNAIRE (rythme).

trisyllabe *nom masc.*

Vers de trois syllabes. Sa cadence peut être 1+2 ou 2+1.

Exemple

Ce bruit vague
Qui s'endort,
C'est la vague
Sur le bord.
(Victor Hugo, *les Orientales,* «les Djinns».)

Commentaire

Vers rare, acrobatique, il produit les mêmes effets que le tétrasyllabe.

→ IMPAIR (vers).

trope *nom masc.*

Terme générique de rhétorique qui désigne toute figure qui emploie un mot dans un sens différent de son sens habituel. (Voir aussi la table d'orientation, *rhétorique* [figure de sens].)

tutoiement *nom masc.*

Usage de la deuxième personne du singulier *tu* lorsque l'on s'adresse à quelqu'un. Le tutoiement s'oppose au vouvoiement.

Exemple

— <u>Tes</u> nom et prénoms, citoyenne? [...]
— Marie-Antoinette-Jeanne-Josèphe de Lorraine, répondit la prisonnière, archiduchesse d'Autriche, reine de France.
(Alexandre Dumas, *le Chevalier de Maison-Rouge.*)

Commentaire

Le tutoiement s'emploie normalement entre des personnes unies par des liens étroits de parenté ou d'amitié. Utilisé hors de ce cadre, il souligne une familiarité qui peut traduire une volonté de provocation.

→ VOUVOIEMENT.

variante   *nom fém.*

Chacune des versions successives d'un texte ou d'une partie d'un texte, avant sa version définitive.

Exemple

Cependant, tout le Palais s'était réveillé avec la Princesse.
Variante:
Cependant, tout le Palais s'était réveillé en même temps que la Princesse.
(Charles Perrault, *la Belle au bois dormant.*)

Commentaire

L'étude des variantes d'un texte permet d'entrer dans les coulisses de la création. La comparaison des versions successives met en lumière les nuances attachées à la forme définitive, laquelle répond souvent à un souci de précision, d'expressivité ou de rythme.

versification   *nom fém.*

Voir la table d'orientation.

virgule   *nom fém.*

La virgule marque une pause restreinte dans la phrase. Elle permet de séparer des mots aux fonctions diverses (sujet, attribut...), de mettre en valeur un complément (ex. 1). La proposition incise est signalée par l'emploi de deux virgules (ex. 3).

Exemples

1. À l'heure où le jour commençait à baisser, le docteur Kemp était assis dans son cabinet, dans le belvédère qui, du haut de la colline, dominait Burdock. (Herbert George Wells, *l'Homme invisible.*)

2. Mon admirateur me parut fort honnête homme, et je l'invitai à souper avec moi. (Alain René Lesage, *Gil Blas de Santillane.*)

3. Au fond, me dit-il à brûle-pourpoint, vous avez dû beaucoup souffrir.
(Patrick Modiano, *les Boulevards de ceinture*.)

Commentaire

Bien employée, la virgule participe au sens et au rythme de la phrase. Précédant une conjonction de coordination, elle insiste sur la liaison logique (ici consécutive) des deux propositions (ex. 2).

→ PONCTUATION.

vocabulaire spécialisé

Ensemble des mots qui ne sont utilisés que dans des disciplines et des domaines particuliers. Contrairement au vocabulaire courant, le vocabulaire spécialisé admet rarement des synonymes.

Exemple

Et les hommes déboulèrent ensuite, deux mille furieux, des galibots (1), des haveurs (2), des raccommodeurs (3), une masse compacte qui roulait d'un seul bloc, serrée, confondue, au point qu'on ne distinguait ni les culottes déteintes ni les tricots de laine en loques, effacés dans la même uniformité terreuse. (Émile Zola, *Germinal*.)

(1) Ouvriers qui travaillent, dans la mine, au boisage des puits et des principales galeries.
(2) Ouvriers qui creusent les parois des galeries pour en extraire le charbon.
(3) Ouvriers qui entretiennent les voies.

Commentaire

Par son aspect technique, le vocabulaire spécialisé donne un caractère d'authenticité au texte dans lequel il apparaît. Il exige du lecteur une initiation qui passe souvent par le recours au dictionnaire mais qui, dans un second temps, lui donne accès à un univers jusque-là inconnu de lui.

→ TECHNIQUE (style).

vouvoiement *nom masc.*

Le vouvoiement consiste à dire *vous* à la personne à qui on s'adresse.

Exemple

— Mon enfant, c'est bien lourd pour vous ce que vous portez là.
Cosette leva la tête et répondit:
— Oui, monsieur.
— Donnez, reprit l'homme. Je vais vous le porter.
Cosette lâcha le seau. L'homme se mit à cheminer près d'elle.
— C'est très lourd en effet, dit-il entre ses dents.

Puis il ajouta :
— Petite, quel âge as-<u>tu ?</u>
(Victor Hugo, *les Misérables*.)

Commentaire

Le vouvoiement traduit une distance entre deux personnes qui communiquent. Il peut marquer différentes nuances telles que le respect, la timidité, le mépris, la colère... Le passage brutal du vouvoiement au tutoiement, ou inversement, a une forte valeur affective et témoigne d'une émotion soudaine chez celui qui parle.

→ TUTOIEMENT.

▉voyelle *nom fém.*

→ « E » MUET, « E » SOURD, FERMÉE, NASALE, OUVERTE.

zeugma *nom masc.*

Alliance de mots où l'on associe des réalités abstraites et concrètes dans une même structure syntaxique.

Exemple

Enfermée dans sa chambre et dans sa surdité... (Roger Martin du Gard, *les Thibault*.)

Commentaire

En associant des réalités souvent disjointes, le zeugma crée la surprise. Il tisse entre les mots des liaisons incongrues, révélatrices d'un autre univers, poétique, tragique...

→ ALLIANCE DE MOTS.

Index des auteurs cités

Photocomposition OPTIGRAPHIC – Paris.

IMPRIMERIE JEAN-LAMOUR, MAXÉVILLE
Dépôt légal : Mai 1990 – N° de série Éditeur : 18485.
IMPRIMÉ EN FRANCE *(Printed in France)* – 800015-F - Mai 1995.